〈責任〉の生成
——中動態と当事者研究

國分功一郎
熊谷晋一郎

新曜社

まえがき――生き延びた先にある日常

本書は研究の記録である。一般に「対談」と呼ばれる形態で書かれているけれども、双方がすでに形成していた考えを持ち寄って開陳し、それらを尊重し合いながら違いや共通点を確かめ合っているのではない。われわれは二人の間を一つの場所とし、そこに発生してきた考えの行く先を見とどけつつ、それを突き詰めようとしたのである。

本書は研究の記録であるが、研究計画書はなかった。なぜならば、どんな論点を、どのような方法で扱い、どんな文献を利用して、どの方向に向かっていくべきなのか、二人にはわかっていなかったからである。完璧な研究計画書を求めるならば、その研究はすでに終わっていなければならない。人が立派な研究計画書を書くことができるのは、その研究がすでに順調に進んでいるときである。

本書において進められた研究は、ただし、明確な出発点を持っていた。それは熊谷晋一郎さんがこれまでに行ってきた当事者研究についての研究であり、私が著書『中動態の世界』で公表した中動態についての研究である。われわれは二つの研究が共鳴していることと、またその共鳴が自分たちの中で複数の考えに発展しつつあることを感じ取っていた。しかし、人はみずからが考えていることをすべて意識できるわけではない。だからわれわれは二人の間という一つの場所でそれを言葉にしていく作業を必要としたのである。

＊

この研究は最終的に責任の概念の問い直しへと向かった。その問い直しの内容については本文をご覧いただきたいのだが、その前にこの言葉について少し述べておきたいことがある。世の中であまりにもよく用いられるためにそのイメージが一定の形で凝固してしまっているこの言葉の意味を、少しだけ解きほぐしておきたいのである。

責任（レスポンシビリティ）は応答（レスポンス）と結びついている。応答とはなんだろうか。それは返事をすることだが、返事をするといっても応答において大切なのは、その人が、自分に向けられた行為や自分が向かい合った出来事に、自分なりの仕方で応ずることである。自分なりの仕方でというところが大切であって、決まり切った自動的な返事しかできていないのならば、その返事は応答ではなくて反応になってしまう。

哲学者ハンナ・アレントはそれぞれの人間が自分なりの仕方で応答する可能性を人間の「複数性」と呼び、それを人間の条件の一つに数えた。アレントの言う複数性とは単に個体数が二つ以上であるという意味ではない。たとえばある生物の個体数がどれほど多かろうとも、同じ刺激に対して同じ反応しか返さないのであれば、そこにはアレントの言う複数性は存在しない。

自分に向けられた行為や自分が向かい合った出来事にうまく応答できないとき、人は苦しさを感じる。それが常態化すれば苦しさは堪え難いものになる。なぜならば、うまく応答できないままでいることは、人間の複数性にうまく参加できていないことを意味するからである。複数性に参加できていないとき、その人は相手にされなくなる。相手にされないとは、周囲の者たちから、応答するべき相手と見なされないということ、自分たちに似通った、同等の者と見なされないということである。

そのときそこに現れているのは、応答のない、ただの反応に満たされた空間であろう。

自分以外の他なるものが自分のために責任を果たしてくれることも、自分が自分以外の他なるものに責任を果たすこともない。「責任」はしばしば重苦しくて、できれば避けたい義務という語感を持っている。しかし、責任が消失した空間を想像してみると、それはなんとつらく苦しいものだろうか。

＊

人が周囲から反応のみならず応答を受け取っているとき、そこには日常と呼ばれる光景がある。人が日常を実感するのは、おそらく、周囲から反応だけでなく応答を受け取っているときである。だが応答し応答されるという事態は少しも当然視できるものではない。応答しているのに応答していると見なされない人もいるであろうし、応答の手段を著しく制限されている人もいるだろう。

その意味で日常は決して当たり前に存在しているものではない。それはなんらかの仕方で獲得されねばならない。日常は生きることの出発点ではない。それは生き延びた先にある。

日常の捉え方を一つの基準としてさまざまな哲学を二つに分類することができるかもしれない。例えば本書でも言及されているハイデッガーの哲学は日常からの脱出を考えた哲学である。それに対し、日常の成立をほとんど奇蹟のようなものとして捉え、それを獲得すべき状態と考える哲学もある。本書の議論は後者の系譜に位置づけられる。

われわれ二人が主として少数派の生を取り上げて論じていることがその理由の一つであろう。だがこの無意識の選択は現代という時代によって強いられたものでもあるように思われてならない。われわれは今、日常が破壊される時代を生きているのではないだろうか。確かに複数の個体が集まって生きてはいるものの、複数性に参加していると感じることが難しくなっている、そんな時代を生きているのではないだろうか。

あらゆる時代診断がそうであるように、この診断もまた証明されることはあり得ず、ただ直感として述べられるだけである。ただ、本書の議論がこの時代そのものに向けられていることはここで述べておきたいと思う。

＊

本書のもとになった二人の討論の書籍化を熱心に勧めてくださったのは新曜社の編集者、清水檀さんである。清水さんの熱意がなければこの本はとても完成には至らなかった。これだけ長い討論をまとめてくださったのは清水さんなのである。心からお礼を申し上げたい。

主な討論の場となったのは朝日カルチャーセンター新宿教室である。担当の横井周子さんには毎回丁寧にご対応いただいた。こんなに自由に議論できる場がいまも確保されていることを当たり前と思ってはならない。それは現場の方々の絶えざる努力によって維持されている。

討論の場に足を運んでくださった方々にも感謝の意を表したい。熱心に耳を傾けてくださる方々に刺激されてわれわれも頭をフル回転させることができた。

本書の序章は東京工業大学で國分が担当していた講義、「文系エッセンス」に熊谷さんがゲストとして登場してくださった回の模様を再構成したものである。履修してくれた一〇〇名あまりの学生たちのほとんどは理系の大学院生であったが、驚くほど熱心に講義に参加してくれた。

この息苦しく暗い世の中にあっても、研究者としてものを考え、それを発表していこうと思えるのは、ここに紹介させていただいた方々、そして本を読んでくれる方々からの応答があるからである。本書はこれまでにいただいた数え切れない応答に向けて、われわれ二人が責任を果たさんとして為す応答である。

二〇二〇年一〇月　國分功一郎

〈責任〉の生成——中動態と当事者研究

目次

第二章　中動態と「主体」の生成

第三章　自己感・他者・社会

第四章　中動態と「責任」

序章

「中動態」と「当事者研究」

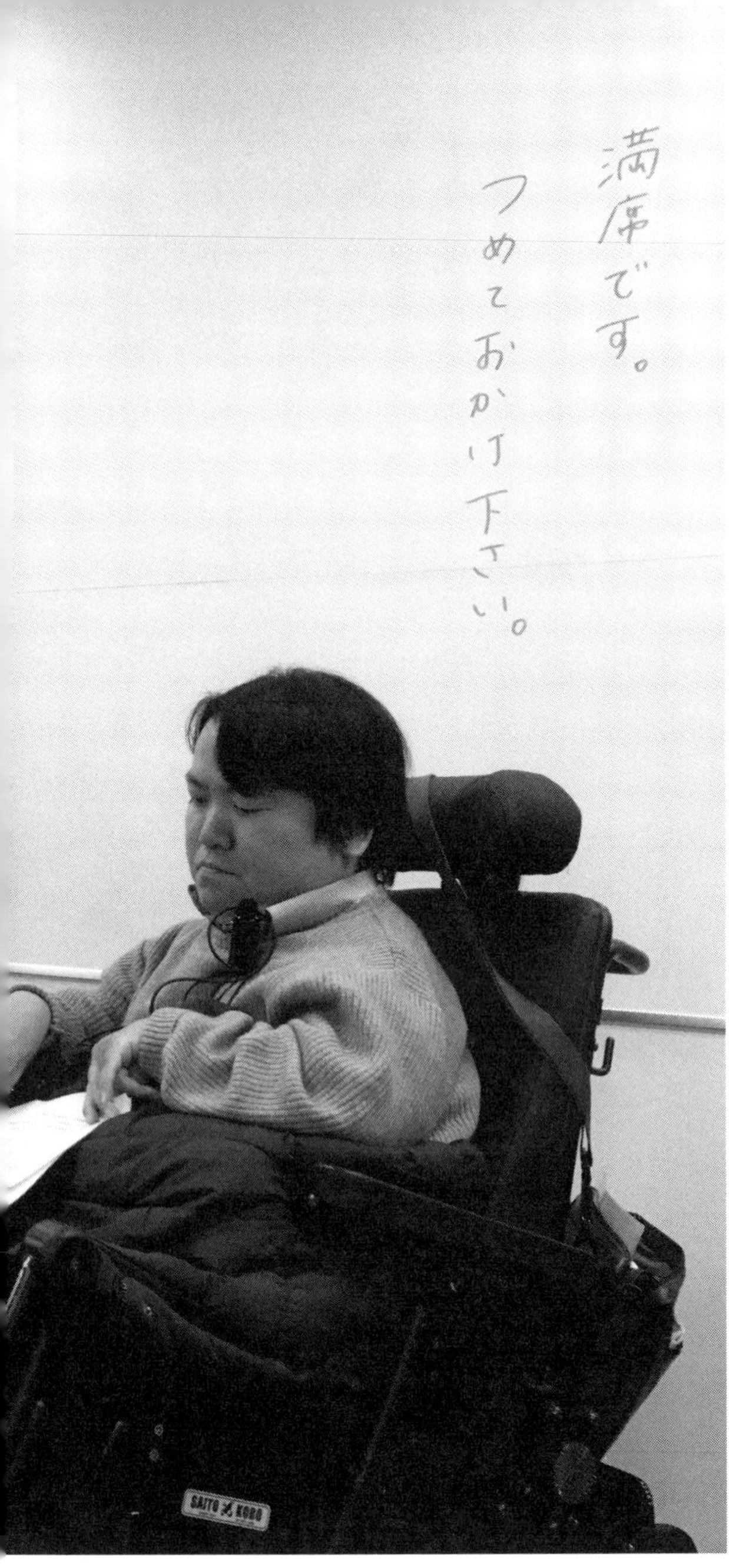

まずはじめに

國分　みなさんこんにちは。

このたびは、僕がそのお仕事から多くの刺激をいただいている熊谷晋一郎さんと、「中動態と当事者研究」と題してさまざまな角度から議論を深めていくことになりました。熊谷さん、みなさん、どうぞよろしくお願いいたします。

熊谷さんのお仕事、とりわけ「当事者研究」の分野におけるここ一〇年ほどのご活躍は、あらゆるレベルできわめて画期的かつ重要なものだと僕はずっと考えてきました。

みなさんもすでによくご存じかとは思うのですが、綾屋紗月さんとの共著である『発達障害当事者研究』[*1]、新潮ドキュメント賞を受賞された『リハビリの夜』[*2]という二つのご著作は、今回の議論にとって重要な前提になるものでもありますし、本編に入る前に、第一回めの今日はまず熊谷さんご本人から、ご本について、ご自身について、そして当事者研究について、ぜひまずお話しいただきたいと思っています。次回からの講義のためのプレ講義、のような感じでざっくばらんにお話しいただければと思います。

熊谷さん、よろしいでしょうか。

熊谷　承知いたしました。私もこれまで、國分さんのご著作からたいへん重要な示唆をいくつもいただいてきましたし、先生のお仕事は、当事者研究にとって現在、またこれからも、非常に重要な概念を与えてくださるものだと感じています。今回このような機会に、十全にそれらについてお話しさせていただきながら、國分さんと深い議論を重ねていきたいと考えています。

＊1　綾屋紗月・熊谷晋一郎『発達障害当事者研究――ゆっくりていねいにつながりたい』（医学書院、二〇〇八年）
＊2　熊谷晋一郎『リハビリの夜』（医学書院、二〇〇九年）

では、お言葉に甘えて、少しだけお時間を頂戴したいと思います。どうぞよろしくお願いいいたします。

「当事者研究」に先立つもの

熊谷　ではまず、先ほど國分さんからご紹介いただいた「当事者研究」とはどんなものなのか、みなさんもなんとなくイメージはお持ちかとは思うのですが、最初に手短かにご説明させていただこうと思います。

ただその前に、当事者研究というものが始まる前、障害をもつ当事者の置かれた状況はどんなふうであったのか、少しばかりお話ししたいと思います。そのほうが、なぜ当事者研究というものが必要だったかということがご理解いただきやすいのではないかと思うからです。

私が生まれたのは一九七七年です。今に至るまでにまだ半世紀も経っていないのですが、七〇年代当時は、障害者が生まれたらできる限り健常者に近づけることが目標とされていました。もちろん例えば骨折や肺炎など、医学的な治療によってたちどころに健常者に戻れるような怪我や疾患も世のなかにはありますが、多くの病気や障害については、現代医学の水準ではたやすく健常者に近づけられるようなものではありません。にもかかわらず七〇年代までは、ともかく少しでも健常者に近づけることが目標だと言われていました。私自身、毎日六時間くらいリハビリをやっていて、寝返りを打つ練習だとか膝立ちをする練習だとか、健常者らしい動作ができるようにと、さまざまな訓練を繰り返していました。しかし生まれてこの方、障害のある身体を生きている私にとっては、健常者に近づくという目標は雲をつかむような曖昧なもので、いったいなんのために訓練をしているのか、自分でもいま一つわからない状態でした。

たとえて言うなら、いわば野球部員があきらかに試合になんか出してもらえないのがわかっているのに、ひたすら素振りばかりやらされているような……。何を言いたいのかといえば、例えば膝立ちという行為は、ある文脈のなかで成立するものです。床などに座っている状態から、少し高い場所にあるものを取ろうとするときであるとか、要は、目的と状況的文脈があってはじめて、個々の動作には意味が宿るわけですけれども、当時私が受けていたリハビリの場合は、まるで状況から切り離されたスナップショット的な形態模写のように、健常者と同じポーズを取る、それだけが目標とされていました。しかも訓練のたびに、私は押さえつけられたり引っ張られたりして、全身あざだらけになるわけです。風邪をひいて病院に行き、小児科で上半身を裸にされて聴診器を当てられたとき、医者が私の体にあざを見つけ、親が別室に呼ばれて虐待の疑いを向けられることもあったと聞いています。『リハビリの夜』にはその当時のことも詳細に書きましたが、いずれにしても過酷な日々でした。

がらりと雲行きが変わったのは一九八〇年代に入ってからだったと思います。どのように変わったかと言えば、ごく大雑把に言うと、障害というのはわたしの皮膚の内側にあるものではなく、皮膚の外側にあるものなんだという認識の変化が起きました。これは障害のある当事者にとって、たいへん大きな変化でした。

具体的にご説明します。例えば、私がある映画をどうしても観たいとしましょう。しかし、その映画館には階段しかない。私は困るわけです。この例はいわゆる障害体験の一例ですけれども、階段を上れないわたしの足に問題があるんだというのが七〇年代までの考え方で、今日では障害に対するこうした古い考え方のことを、障害の「医学モデル」と言います。

それに対して八〇年代は、むしろ階段だけでエレベーターを持たない映画館の側に問題があると考えるようになりました。より一般化して言えば、社会環境の側に問題があるとする。こういう考え方を障害の「社会モデル」と呼びます。つまり、建物や道具、公共交通機関や法制度といったさまざまな社会環境は、多くの場合マジョリティにとって使いやすいようにデザインされているため、一部の人にとってはそのデザインになじめず、障害を経験することになるのだという考え方に変わっていったのです。わたしは八〇年代にこの考え方に出会って、たいへん大きな衝撃を受けました。少し大げさに聞こえるかもしれませんが、ようやく私は生きていける、と思ったことを覚えています。

それまでの私は、どんなにリハビリをしてあざをつくろうが、健常者に近づくことはあり得ず、はたして自分の将来はどうなってしまうんだろうとずっと不安だったのです。しかしこの「社会モデル」という考え方に出会って、私は自分を変えなくてもいいのかもしれないと思えたのです。環境を変えることで、他の人と同じような機会を得ることができるのかもしれない。なんとか自分の人生を暮らしていけるようになるのかもしれない。そう思えて、はじめて希望をもつことができたのです。

「医学モデル」から「社会モデルへ」——パラダイムチェンジの背景

この七〇年代から八〇年代にかけて生じた変化の原因として、大きく分けて少なくとも二つの背景が存在していたと考えられます。

一つめは、医学の内部から出てきた傾向です。かつては、経験豊富な偉い先生が言っていることは正しいと考える、一種の権威主義がはびこっていました。偉い先生が、「これで治るよ」と言うから、それを信じてみなリハビリをやっていた。それに対して八〇年代は、先進国において財源の問題が顕在化したことも影響していると思いますが、偉い先生の言っていることが本当に正しいのかということを、統計によって確かめよう、という機運が高まり、さまざまなリハビリの効果についてエビデンスをとるような流れが生じました。いわゆる、証拠に基づく医学（Evidence Based Medicine: EBM）の時代の幕開けです。研究の結果、かつては効果があると思われていた多くのリハビリの方法に関して、ほとんど効果がないということがわかってきました。八〇年代はそんな時代でもあったのです。

効果があるというエビデンスによって、これまで苦痛を強いられてきた当事者が、その苦痛から解放されるというのはわかりやすいストーリーだと思います。他方で、効果がないというエビデンスによって、当事者が解放されることもあるという認識は、忘れがちですが非常に重要なものだと思います。医学がみずからの限界設定をすることで、当事者が過剰な医療化から解放されることがある。これが、医学モデルから社会モデルへの変化の背景にあった一つめの要因です。

二つめの要因は、当事者運動です。六〇年代から七〇年代にかけて、さまざまなマイノリティたちによって、責任を負わされるのは私ではない、むしろ社会の側が変わるべきだという社会運動が起きました。障害者ばかりではなく、ＬＧＢＴ、女性、エスニックマイノリティたちが、変わるべきは社会の側なんだという主張を本格的にはじめたのがこの時代だったのです。私は個人史的にも、この当事者運動に恩義を感じている障害者のひとりです。思想として、また運動として実践してくれた先輩たちによって救われたのだ、という自覚をもっています。

以上のように、エビデンス主義という、どちらかというと右派的な潮流と、当事者運動という左派的な潮流とが合流し、「医学モデルは無駄であると同時に、障害者の人権を損なうものだ」ということがはっきりと認識されるようになったのが、この八〇年代前後でした。こうして、医学モデルから社会モデルへと大きなパラダイムシフトが生じたと言えるでしょう。

ただ、これから私がお話しする当事者研究は、今までにお話ししてきた障害をめぐる世の中の変化に多大な影響を受けつつも、それだけでは取り残されてしまうような当事者のなかから生まれてきた、新しい実践です。何が継承され、何が付け加えられたのかについて説明していきたいと思います。

見えにくく、わかりづらい障害
――私はいったい何者なのか？

当事者研究が生まれたのは二〇〇一年です。もともとは北海道の浦河町で暮らす、おもに統合失調症という精神障害を抱える当事者たちによって生み出されました。みなさんもおそらくすでにご存じの「浦河べてるの家」（以下「べてるの家」）の人々によって、です。

その後、当事者研究は、精神障害だけでなく、比較的周囲に見えにくい困難をもっている人たちのあいだで急速に広がってきたと言うことができます。見ておわかりのとおり、私の障害というのはみなさんに見えやすいものです。ぱっと見でわかりますよね。車いすに乗っているし、手も足も曲がっている。なんとなく不自由そうだ、とあきらかにマジョリティとは異なる身体をもっていることが伝わります。見てわかりやすい障害の場合、本人がどういう困難やニーズをもっているかが、周りからもわかりやすい傾向にあります。例えば私の場合であれば、階段は上れないだろう、とか、段差はたいへんだろうな、とか、だからエレベーターやスロープを付けてあげたほうがよいだろうなとか、何をしてもらえばよいかということを、私の身体は自他に向けて強く表現しているわけです。言葉で表さなくとも、私の身体からメッセージがほとばしり出ている。主観的には、モーゼのような（笑）。この身体ごと社会に飛び込んでしまえば、黙っていても社会の側が動いて、その先を切り拓いてくれるようなところがあり、ある意味で自分は表現をさぼれるような恩恵にあずかっているとも言えます。

　ところが世の中には、精神障害、自閉スペクトラム症などの発達障害など、外から見てもマジョリティとの差異が明確にはわからない障害が他にもたくさんあるわけです。そういう方々は、黙って社会に飛び込みさえすれば道が切り拓かれるかというと、そういうわけにはいかない。社会モデルといっても、社会環境のどこをどのように変えたら生きやすくなるのかわからない、という問題が生じます。

　ここで重要な点は、周囲から見てわかりづらい障害は、自分から見てもわかりづらい、ということです。例えば、小さいころからなぜか周りの人と同じように振る舞えない、あるいは同じように感じられないというかたちで、名状しがたい差異を経験してきた自覚はあるけれども、いったいなぜそうなってしまうのか、自分の性格あるいは人格に問題があるのではないか、あるいは努力不足のせいなのではないかと悩み、自分を責めてきた方が数多くいらっしゃいます。そのような状況にあって、社会の側に変わってくれ、という要求をするのは難しいですね。うまくいかないのは自分のせいなのかもしれない、という可能性が否定しきれない状況において、社会に配慮を要求するのは並大抵のことではありません。そして、まさにそういう状況に置かれた当事者のなかから当事者研究は生まれました。

私はいったい何者なのか。どこまでが自分の努力で変えられる範囲で、どこからが変えられない範囲なのか。そういった問いへの答えが自明ではない当事者たちにとって、仲間と共に――仲間というのは、「自分と類似した経験をもつ他者」という意味で使っています。もちろんまったく同じ経験をしている他者は存在しないので、なんらかの意味で類似した経験という意味です――、それを研究していく。これはひとりではなかなか難しいことです。社会を「変える」手前で、類似した経験をもつ仲間と共に、私たちは何者なのかについて、まずそれを「知る」ことを目指す。「変える」に先立つ「知る」を志向した活動が、当事者研究です。

当事者研究は、このようにして統合失調症の当事者の間で生まれ、その後、薬物依存症の当事者、そして自閉スペクトラム症などの発達障害、あるいは慢性疼痛をもつ人々など、さまざまな領域で急速に広がりつつあります。

「当事者研究」と「当事者主権」

國分　熊谷さん、ありがとうございます。「医学モデル」から「社会モデル」への変化、そして周りから「見えやすい障害」と「見えづらい」障害という分け方についてなど、どちらも当事者研究について考えていくための前提として、非常に重要なお話だったと思います。

ここからは具体的な当事者研究の方法についてお話をお聞かせいただきたいのですが、その前に一つ、熊谷さんに確認しておきたいことがあります。当事者研究というと、おそらくこれを当事者主権という考え方と結びつけて考える人がいると思うんです。だからまず両者の関係について少し確認させてもらえますか。

熊谷　はい。七〇年代までは、パターナリズム、つまり上から目線で、「君たちにはこれがいいだろう、だからこういうことをしてあげましょう」というかたちで、本人の自己決定権を軽視して先回りし、良かれと思って一方的に介入するような態度や実践が、特に障害者に対しては非常に強かった。それに対して登場したのが、先ほど紹介した当事者運動でした。そして当事者運動のなかで重視された標語の一つが、「当事者主権」です。国民主権、と同じ「主権」ですね。

國分　自分たちで自分たちのことを決める、という意味ですね。自分たちのことは自分たちで決めるんだ、と病気や障害をもつ人々が訴えた。とても大切な運動だと思います。熊谷さんは先ほど、それに恩義を感じているともおっしゃいました。

したがって当事者主権という考えは非常に重要であるわけですが、しかし同時に、それだけではうまくいかないことがある。この点を押さえておくことが非常に重要と思います。当事者主権は最終的に当事者研究につながっていくということですが、それはどういうことでしょうか。

熊谷　「自分たちで自分たちのことを決めます」といっても、それが難しい状況というのがあると思います。というのは、十全な決定をするためには、何を決定したらどのような帰結が自分に訪れるのか、そして、どのような帰結が自分にとって望ましいものなのかを知っている必要があるわけです。また、こうした知識は、自分とは何者なのかということに関する非常に基礎的なものだと思いますが、先ほどもお話ししたように、自分の望む状態や、自分の生活世界についての「こうすれば、こうなるだろう」ということがよくわからない場合がある。そうなると、決定自体が困難になってしまいます。そして、自分に関する基礎的な知が枯渇している場合、その困難さの原因を、自分の努力不足や意志の弱さなどに帰属させてしまうことが多く、挙句、「もっと、自分で自分を律しなければ」という見境のない自己コントロールが志向され、問題が複雑化しかねません。こういう状況に置かれた当事者に対し、「主権」という標語は、より一層本人を追い詰めるものとして機能するかもしれません。

　当事者主権というのは、間違いなく非常に大事な考え方です。しかし、主権という考え方のみで十分なのは、自分のことがわかっているんだという前提が成り立っている当事者だけかもしれません。だから、決定したり、社会を変えるという前に、自分たちのこと、自分たちは何に困っているのかということ、そもそも私は何者なのか、ということを研究する必要のある当事者たちが、当事者研究を必要としたのだと思います。

國分　なるほど、ありがとうございます。当事者研究と当事者運動については、また改めて別途、じっくりお聞きしていきたいと思っています。

では次に、当事者研究の方法について、少しご説明いただけますか。

症状と一緒に地域に出る

熊谷　はい。よろしくお願いいたします。

最初に、先ほども少しご紹介しました、べてるの家における、あるエピソードについてお話しししたいと思います。

しかしその前に、日本の精神障害の人々が置かれている現状について、いくらかのことをご説明する必要があると思います。すでに述べたように、八〇年代以降少しずつ解放されてきた身体障害当事者とは異なり、いまだに精神病院に長期入院している精神障害の方々が多くいます。日本の精神医療は、いくつかの点で世界的に見ても特殊で、例えばOECDは、日本の精神保健はいくらかの改善傾向は認められるものの、他国に比べ「脱施設化」が遅れていると報告しています。実際、二〇一四年に報告されたOECDのデータによると、日本だけ精神障害が流行しているという状況がないにもかかわらず、人口一〇〇〇人あたりの精神科ベッド数は、日本が二・六床でトップであり、これはOECD加盟三五か国の平均〇・七床の四倍近くになります。平均在院日数は二九八日であり、OECD平均の約三六日から大きくかけ離れています。

このような状況が続いている背景には、民間の精神病院の割合が多いことや、精神障害に対する地域社会の差別偏見など、さまざまな原因が存在していると言えるでしょう。そのような原因群と関連して、日本の精神保健においては、例えば統合失調症の主要な症状と言われている幻覚や妄想が十分に落ち着くまでは地域社会に出てはいけないのだ、という考え方がいまだに根強いと言えるかもしれません。その結果、症状をもつ人たちが長期に入院している。これは、先ほどお話しした、「健常者と同じ身体にならなければ社会に出てはいけない」という、七〇年代の身体障害者が置かれていた状況と類似しています。また、症状をゼロにすることが至上命題とされる状況では、薬の量が過剰になるということも起きやすくなります。

そのような状況のなかでべてるの家の何が先進的だったかというと、一つには、症状は必ずしも消えなくていいいんじゃないかと考えた。「消すべき」という発想は、症状にはなんら意味がない、という前提に立ったものですが、べてるの家では、「症状には、自分助けとしての意味がある。では、どのような苦労に対する自分助けなのだろう。それを研究してみよう。」と問いを立て直しました。これが新しかったわけですね。

國分　すごいですねえ……（笑）

熊谷　ええ（笑）。まさに革命的なことだったと言えるでしょう。当事者研究がもつ、こうした脱施設的な側面や、症状をもちつつ生きることを肯定するという側面は、先ほどお話しした障害者運動や、やはり七〇年代に北海道で展開された難病患者運動の影響を受けています。難病患者や身体障害者たちが展開した運動の理念を、精神障害の世界にも広げたという見方もできます。

障害の種類を超えて言えることですが、地域に出ればこれまでにはなかった新しい苦労が発生します。地域住民たちとの関係や、当事者同士の関係において、当然、数えきれないほどトラブルが起きるわけですが、そんな現実を前に、「じゃあもうやめよう」とはならなかった。むしろ、「それならばみんなで、この苦労に満ち溢れた状況を研究しようよ」と踏ん張ったのです。べてるの家の理念のなかには「前向きな無力さ」という標語がありますが、本人はもちろん、周囲の家族や隣人、専門家や支援者さえもどうしたらよいかわからない行き詰った状況において、「それなら自分たちで研究するしかない」と考える。一般に、自分たちは答えを知らないのだ、という無知の知をもってみんなで行うのが研究だとするならば、行き詰まりの現実のなかで無知を自覚せざるを得なかった人々のなかから生まれてきたのが、当事者研究だったというわけです。

「外在化」と「仲間の力」

熊谷　その具体的な方法に関して、いくつかポイントのようなものがあります。

一つは國分さんの『中動態の世界』[*3]とも密接に関わる部分だと思うのですが、私たちは、何かトラブルのようなことが起きたときに、つい「犯人探し」をしがちですよね。誰のせいなのか？　という発想になりがちです。例えば地域住民とトラブルになったとき、「誰が悪いの？」「誰が罰せられるべきなの？」という発想に流れることは想像に難くないでしょう。そういう発想に、私たちは無意識のうちに慣れ親しんでいます。けれど、それは研究ではない。犯人を探し出して解決とするのではなく、あくまでも苦労のメカニズムを探ることを重視するのが当事者研究の方法です。

それはいわば、自然現象について研究するのに近いと言えるかもしれません。例え

＊3　國分功一郎『中動態の世界――意志と責任の考古学』（医学書院、二〇一七年）

ば、なぜ雨が降るのか。誰かが雨を降らせたとは考えず、この場合は流体力学も関係してくるのでしょうが、降雨という現象が起きるメカニズムについて、属人化せずに研究するという態度を私たちは共有していますね。べてるの家の人々はこうした自然現象だけでなく、社会的な現象、つまり周囲の人々との関係のなかで起きるさまざまな苦労に対しても、犯人探しではなく、メカニズムを探る態度で向き合おうとしてきました。そしてこの態度こそが、当事者研究においてもっとも重要かつ基本的な方法論的態度と言えるでしょう。この態度のことを当事者研究では、「外在化」と呼んでいます。「困った行動をとったあの人が悪い」というかたちで、いわば問題行動と本人をくっつけてしまうのではなく、問題と本人を切り離して、行動を降雨のような出来事として眺め、研究のテーブルに載せていき、みなでワイワイガヤガヤとそのメカニズムを探っていく、これが当事者研究の大事な方法として採用されました。この態度と方法は、それぞれに合った多様な方法を自由に開発して生き生きと展開している当事者研究において、それでも共通しているものとして引き継がれている、きわめて重要なものです。

外在化の他に、当事者研究においてもう一つ重要な方法論的態度は、「仲間の力」を重視することです。外在化という方法も、ひとりではなかなか可能になりません。他者の視点を通してはじめて、出来事を人ごとのように観察できるようになる場合が多いのです。べてるの家においてよく参照される当事者研究の一つに、「爆発の研究」というものがありますね。例えばある人が、家に火をつけてしまったと。

國分　放火しちゃった。

熊谷　ええ。日常的な感覚では、それはよくない行いですよね。罪を負わなくてはならないとされる振る舞いといえます。しかし当事者研究では、その火をつけるという行為を「放火現象」と表現することがあります。モンスーン現象とかフェーン現象とかと一緒ですね。

國分　なるほど（笑）。

熊谷　そう呼びなおすことで、放火現象のメカニズムを知ろう、という枠組みが切り拓かれます。しかしこのとき、本人ひとりで「放火現象」と呼びなおし、外在化するのはかなり難しい。

國分　それはそうだ。

熊谷　行為の責任を個人に帰属して、罪を負わせるという認識の枠組みは強固なものですので、みずからひとりでそれを言ってしまうだけだと、おそらく雰囲気が悪くなる（笑）。みんなで「放火現象」にしていかないといけない。そういう場の力が外在化には必要なのです。

もちろん当事者研究といっても、二四時間外在化し、誰も責めない時間と空間が続いているわけではありません。研究の時間のみ、「出来事を属人化せずに語り、メカニズムを探るための特殊な時間と場所」として区切りをつけて行うことになります。

ひとまず当事者研究が大切にしている方法や態度に関して、外在化と仲間の力の二点に注目して説明させていただきました。

「免責」から「引責」へ

國分　ありがとうございます。

当事者研究において重要な点の一つが、外在化を前提にしたメカニズムの解明ということですね。つまり犯人探しをしない。そして二つめとして、行為や状況を「現象」として捉えたうえで、その現象の研究成果を仲間に向けて発表する。発表を通じて自分がいったいどういう困りごとを抱えているかを仲間と共有し、なぜそうなっているのかを共に研究、解明していく。

先ほどの放火のお話をお聞きになられて、「いやちょっと放火はまずいだろう」と思う人はみなさんのなかにも当然いらっしゃるでしょう。しかしじつはこの方の問題行動は放火だけじゃないんです。家じゅうの大事なものを片っ端からぶち壊すなど、さまざまな問題を抱えていた。

けれども不思議なことに、一度それらの行為を外在化し、自然現象のようにして捉える、すなわち免責すると、外在化された現象のメカニズムが次第に解明され、その結果、自分のしたことの責任を引き受けられるようになってくるのです。このことが、当事者研究によってわかってきた。とても不思議なことですが、一度免責することによって、最終的にきちんと引責できるようになるのです。

逆に、最初からこれはお前がやったんだろうと責めるのでは、引責にも解明にもつながらない。そうしていると結局また同じことをしてしまうのです。そもそも本人もなぜ自分はこんなことをしてしまうのかと思っていて、自分を責めているのです。その気持ちが解明を妨げているのかもしれません。だからいったん免責をすることによって、自分はいったい何をしたのか、そのとき自分はいったいどんな感じであったのかを研究してみる。それが責任への道を拓く。

熊谷　そのとおりですね。おそらく誰しも、頭ごなしに反省しろと言われて反省できるものではない。それは私も自分の胸に手を当てて考えればよくわかります。そして國分さんもおっしゃるように、いったん免責されてそれを仲間と共有すると、不思議と自分のなかに、自分のしたことを反省し、引責する気持ちがあとから自然に湧いてくることがあります。これが当事者研究のおもしろいところですね。

國分　ええ、本当に。少し話が逸れてしまうかもしれませんが、最近注目されている治療法に「オープン・ダイアローグ」がありますね。北欧で開発された精神疾患に対する治療法なんですが、統合失調症の急性期にある人あるいは家族が、少しおかしい、もしくは何かトラブルがあったと病院に連絡すると、病院から二四時間以内に治療チームがダーッとやってきて患者と対話をする。患者を批判も非難もしない。投薬もしないし入院もさせない。ただ話をする。そうすると治ってしまう。

熊谷　患者をモノローグから、ダイアローグの場に引っ張り出す方法ですね。そして「じゃあまた明日も来るね〜」と言って、全員、帰っちゃう。

國分　それに絶大な治療効果があるわけですから、本当に興味深いことです。これは精神科医が失業するということでもあるわけでしょう？　にもかかわらず、それを精神科医みずからが進めているというので本当にすごいなあ、と思いました。

そこで引責の話なんですが、僕の書いた『中動態の世界』がオープン・ダイアローグを考えるうえでたいへん参考になると考えてくださった方々がいらして、関連のシンポジウムに呼んでいただき講演した際、[*4]最後の質疑応答で、「私は犯罪の加害者なんです」と前置きされてから感想を述べてくださった中年の男性がいらしたんです。僕はその講演で、「自由意志というのは存在しません」という話をしたんですが、その男性はその話を聞いていて、涙してしまったと言うのです。そしてこんなことをおっしゃいました。「自分はずっと罪の意識を持たなければならないと思ってきたけれども、それがどうしてもうまくできなかった。ところが講演を聞いていて、自分ははじめて罪の意識を感じた。自分が悪いことをしたと感じた」とおっしゃったんです。僕はびっくりした。

熊谷　それはすごい話ですね。

國分　僕は刑務所に行ったこともないし、その方が刑務所でどう過ごしていたのかもわからない。でもその人はずっと「お前は悪いことをしたんだ、反省しろ」と周りから言われ続けてきたのではないか。そしてもちろん自分でも、反省しようとしていたのでしょう。けれども、そう言われたからといって人間は反省できるわけでもないし、そもそもなぜ自分がそんなことをしてしまったのかもわからないかもしれないし、きっとどうやって反省したらいいのかもわからない。

おそらくその方は「お前は自分の意志で犯罪を犯したのだ」と周囲から言われ続けてきたのでしょうし、自分でもそう思っていたでしょう。だから、むしろ逆に「自由意志など存在しない」という話を聞いて、意志が免罪されたときに、逆に自分が犯した罪を引き受けようとする責任感が生まれたのではないか。そう思ったんです。

熊谷　それに関連して、僕のほうのエピソードをお話ししてよいですか。

國分　どうぞどうぞ。

熊谷　最近、学校や企業、家族など、いろいろな場所で当事者研究の実践が試みられているのですが、その取り組みの一つとして、べてるの家のソーシャルワーカー、向谷地生良さんが中心となって、医療観察病棟という場所で実践が積み重ねられています。

この病棟は、重大な刑事事件（殺人事件、放火事件、強制性交等事件、強制わいせつ事件、強盗事件、および傷害事件のなかでも重い傷害を与えた傷害事件）を起こしてしまった精神障

＊4　オープンダイアローグ・ネットワーク・ジャパン(ODNJP)主催シンポジウム「オープンダイアローグと中動態の世界」(二〇一八年九月二三日、於・東京大学駒場キャンパス)。同シンポジウムにおける講演や質疑応答の記録は、『精神看護 特集・オープンダイアローグと中動態の世界』(二〇一九年一月号、医学書院)に収録。

害のある方のうち、裁判で心神喪失または心神耗弱の状態にあったという理由で起訴されなかったり、無罪や執行猶予の判決を受け、社会復帰のためには刑務所での服役よりも専門的な処遇をすることが必要であると裁判所が判断した場合に、医療と観察を提供する病棟です。この特殊な病棟からの退院は、入院している医療機関または対象者本人等からの申立てを受けた裁判所による「退院許可決定」を必要とします。病識や内省・洞察を含む精神科的状態に加え、情動制御、地域の受け皿、治療継続を阻害する要因など、医療機関は七〇項目ほどからなる共通評価項目で評価し続け、改善が認められたことを根拠に裁判所に退院の申し立てをするのですが、しかし、従来の医療では退院にまで至れない方がいらした。

そこで、べてるの家の人たちが「かつてのわれわれのように、退院できない仲間がそこにいるらしい」ということで出かけていきました。そして、ベッドに拘束された仲間の近くに行って、iPadを広げてご本人に見せながら、当事者研究を行いはじめました。すると研究が進むにつれて、自分自身が行ったことの意味に気づかれる方が出てきたのです。免責されながらメカニズムが解明され、引責が湧き上がる。國分さんがさっきお話ししてくださったような、湧いてくるような反省に加えて、自分は症状に操られていたんだということに気がつくという現象が次々に起きており、年に一回、その報告会が行われています。責任を引き受けるという問題と、いったんそれを脇に置いて研究するということが密接に関わっているということは、そうした報告からもひしひしと感じているところですね。

國分　なるほど。この場合、「反省」という言葉が適切なのかどうかわからないですね。なかなか他に適切な言葉も見つかりませんが、僕自身は「責任」あるいは「責任感」という言葉を使いたいと思っています。責任とはレスポンシビリティ、つまり応答ですね。自分がやってしまったことに対して自分が応答する。それがほんとうの責任感だと思うんです。「責任」という言葉をどうやって再定義するか、それをどう理解していくかというときに、当事者研究は大きなヒントを与えてくれます。また責任の問題は、僕が『中動態の世界』で考えたかったことでもあります。

当事者研究の歴史、方法、そして現在について熊谷さんにお話ししていただきました。最後に、綾屋紗月さんと共に行われてきた当事者研究を通して、熊谷さんがどのように自閉スペクトラム症に迫っていかれたのか、それをお聞きしたいと思います。熊谷さん、続けてお願いできますか。

『発達障害当事者研究』の前提
――ディスアビリティのインペアメント化

熊谷　はい。綾屋紗月さんは、ご自身も自閉スペクトラム症（Autism Spectrum Disorder: ASD）という診断名をおもちの当事者で、かつ当事者研究を専門にした研究者でいらっしゃいます。私は綾屋さんと二〇〇六年以降、共に当事者研究を進めてきたのですが、研究をはじめるに際して、私たちが強くこだわったことが二つほどあります。順番にご説明したいと思います。

　綾屋さんと私がこだわったことの一つめは、ASDを社会モデル的に吟味してみようという点でした。そうしてみると、従来のASD研究に対して、どうにも納得できない点にぶつかりました。どういうことか、説明したいと思います。

ＡＳＤの診断基準を見ると、「社会的コミュニケーションの障害」と書いてあります。コミュニケーション障害というのは、例えば誰かと私とのあいだに発生するトラブルや誤解、すれ違いのことですが、それが診断基準の中核にある。では、このコミュニケーション障害というのは、皮膚の内側にある障害なのか、それとも外側にある障害なのか、どちらなんだろうと考えました。

私の場合に置き換えて考えれば、「私は移動障害をもっている」と表現することがあります。移動に困難があるという意味ですね。でも、スロープがあったりエレベーターがあったりすれば、移動の障害は発生しません。つまり私の移動障害は、私の皮膚の内側に常時存在し続けている障害ではなくて、環境と私との相互作用によって発生したりしなかったりするものです。簡単に言えば、環境との相性ということですね。そして社会モデルでは、そのような環境との相互作用で発生したり消えたりする障害のことを「ディスアビリティ」と表現します。

それに対して、皮膚の内側にある障害、例えば足が動かない、とか手が曲がっているといったような、どんな環境に身を置いてもあいかわらず私の身体の特徴として存在し続けている障害、環境からは独立して存在している障害は、「インペアメント」と表現されます。ディスアビリティとインペアメント、日本語にするとどちらも「障害」になってしまうのですが、まったく異なるものなのです。

では、コミュニケーション障害は、インペアメントなのかそれともディスアビリティなのか。素朴に考えてディスアビリティですよね。なぜなら、気心の知れた相手なら発生しにくいけれど、相性の悪い人とならコミュニケーション障害は発生しやすいからです。あるいは共通前提がない人や、文化的背景が異なる人であれば発生しやすく、そうでなければ発生しづらい。他者は私にとっての環境の一部です。そして、環境である他者と私の間に発生する相性の悪さであるコミュニケーション障害は、先ほど示した移動障害と同じく、ディスアビリティだと考えられます。

しかし身体障害と違ってＡＳＤの場合、その診断基準に「コミュニケーション障害」と明記されているわけですね。ここで注意しなくてはならないのが、一般的に、診断基準というのは建前としてインペアメントを記載するはずの文章だということです。なぜなら環境とは関係なく、本人の特徴を表すのが、診断基準という文章が果たすべき役割だからです。実際、ASDの診断基準はあたかもインペアメントを表しているものとして世界中で解釈され、使われています。しかし、何かがおかしいと思いませんか。

私たちはこうした状況を、「ディスアビリティのインペアメント化」と呼び、批判をしてきました。本来はディスアビリティ次元の現象が診断基準に混入しているにもかかわらず、それがインペアメント次元の身体的特徴であるかのように解釈されている。これは非常に怖いことです。例えば、横暴な上司との間にコミュニケーション障害があるとか、問題のある職場のなかで周囲とのコミュニケーションがうまくいかないとか、家父長的でDV傾向のある夫とのコミュニケーションが取りづらいなど、コミュニケーション障害といっても、本人より環境の側にこそ変わるべき責任がある場合はあります。にもかかわらず、コミュニケーション障害を永続的に私の側に帰属される性質だとしてしまうと、そうした状況における周囲とのうまくいかなさがすべて私の側の責任になってしまいかねません。言うまでもなく、そんな解釈をされたらたまったものではないわけで、医学モデルに逆戻りしていると言わざるを得ません。ディスアビリティのインペアメント化とは、社会モデルで対応すべき範囲を医学モデルで対応するという過ちを導きます。これがＡＳＤの現場で起き続けていることなのです。これが綾屋さんと私が行ってきた研究の大前提の一つめです。

こうした先行研究への批判的検討を踏まえて、綾屋さんの側に永続的に存在している特徴と、環境が変われば変化する現象とを切り分けるような研究をしなくてはいけない。言い換えると、ディスアビリティのインペアメント化にセンシティヴになるような研究が必要だという確認を最初にしたのです。

手法として用いたのは、やはり当事者研究でした。綾屋さんもまた、これまでさまざまな場面で、「逸脱的」とされる行動をしては周りから叱責されたり、自責的になったりしていたのですが、そういった属人化された価値判断をいったん脇に置いて、あくまでも当事者にとっての経験という視点から外在化し、綾屋さんのなかでどんなことが起きているのかということを探っていくことにしました。

ここで一つ補足しておかなくてはならないのが、ディスアビリティとインペアメントは一対一対応しないという点です。このことが、私たちが二番めにこだわった、

「ＡＳＤに関する研究ではなく、綾屋さん個人に関する研究を行う」という方針を導きます。

例えば、先ほど私のケースとしてお話しした「移動障害」というディスアビリティがありますけれど、移動障害という一つのディスアビリティが発生し得るインペアメントには複数のものがあります。例を挙げるなら、足が動かないというインペアメント、あるいは目が見えないというインペアメントがそうです。「盲ろう」といって、目も耳も不自由な場合、また認知症の場合などにも移動障害は起き得るでしょう。これらはインペアメントとしては互いにまったく異なるのに、多数派向けの環境で移動障害が生じ得るという点では共通しています。ディスアビリティとしては一つの移動障害ですが、複数のインペアメントが対応する。いっぽうでまた、一つのインペアメントに対して生じ得るディスアビリティの種類もまた多様です。例えば私は移動障害だけではなく、服を着替えるとき、お風呂に入るときのディスアビリティも経験しています。

しかるにもしＡＳＤという概念自体が、純粋なインペアメントを記述する概念ではなく、ディスアビリティが混入したものであるとするならば、十人ほどASDと診断される人に集まってもらったら、インペアメントは十人十色になる可能性がありますよね。ここが私たちが罠だと考えたところです。これが、私たちが当事者研究をすることを決めた際に、「ASDのインペアメントとはなんなのか」という問いには答えない、ということを宣言した理由であり、これが綾屋さんと私が強くこだわろうと考えた二点めです。ASDのなかにディスアビリティが混入している現状にあって、ASDと診断される人々に共通のインペアメントを探究するというチャレンジは、論理的に失敗が運命づけられていると考えたのです。じっさい世界中のASD研究で、多様なASD者に共通するインペアメントが探究されていますが、その試みはうまくいかないのではないかと指摘している研究者も少なからずいます。これは概念上の問題であって、いくら経験的な研究を重ねたとしても、そもそもスタートが間違っているのかもしれません。

以上のような理由で、綾屋さんと当事者研究をはじめるにあたり、ASDやコミュニケーション障害という概念はディスアビリティを記述したものであってインペアメントではないのだ、という認識を出発点とすること、そして、綾屋さん固有の経験を詳細に記述することの二点を確認し合いました。また、今日ASDという診断をもつ人たちの間にこういった取り組みの輪が広がっていくことで、結果的に今日の日本社会において、さまざまなインペアメントを持っている人々がディスアビリティとしてのASDを背負っているのだ、という全体像が描けるのではないかと考えたのです。そして最初の布石になることを願って、綾屋さんと『発達障害当事者研究』を書いたのです。

國分 ディスアビリティのインペアメント化。なるほど、ASDの診断基準とは非常に不可思議な構造をはらんでいることがよくわかります。

綾屋さんと熊谷さんの『発達障害当事者研究』は二〇〇八年の刊行でしたね。読んでいる方も多いと思いますが、この本に書かれているいくつかのポイントについてご説明いただけますか。

「まとめ上げ」と「絞り込み」の困難

熊谷　はい。この本では、多岐にわたる綾屋さんのさまざまな経験が書かれているのですが、今回の國分さんとの議論において関係してくるのは、とりわけ、「知覚」と「記憶」に関してでしょうか。

綾屋さんには世界がどんなふうに見えているのか、どんなふうに聞こえているのか、あるいは身体の内側、例えば内臓の感覚などはどのように感じられているのか、空腹感はどのように感じられているのかなど、まずは知覚の問題からこの本は始まっています。そして、記憶、つまり過去の出来事をどんなふうに思い出すのかとか、あるいは夢を見るときにはどんなふうであるのか、などが続きます。ここまででインペアメントに関するおおよその理論を導き、その後に他者とのかかわりについてがはじめて登場し、理論の妥当性を検討する応用問題として位置付けられています。

記憶と密接にかかわってくることですけれども、私たちは、自分の過去の経験を一回性のエピソードとして経験するわけですが、このエピソード記憶はどのように整理整頓されているのか、ということにも触れています。ちなみに二〇一〇年以降は、「運動」について扱いはじめました。例えば声を出す、という運動がありますが、この現象はどんなふうに行われているのか、ということなどです。

この本に関してもう一つだけ踏み込んで言えば、「感覚飽和」という概念が重要なキーワードとして登場します。のちほどまた國分さんと、この概念についてお話ししていきたいと考えていますが、本が刊行された二〇〇八年の時点では、「まとめ上げ」と「絞り込み」という観点から研究しています。少し説明しましょう。

私たちの意識のなかには、つねに大量に、かつさまざまな種類の感覚入力があるわけですが、私たちの多くはほとんど無意識のうちに、それらを一つのカテゴリーとしてまとめ上げたり、またそれらのなかから、今、私が注目するべきなのはこれであり、これではないのだ、と絞り込んでいます。このまとめ上げと絞り込みの困難が、綾屋さんのインペアメントとしてもっとも根本的、基底的なものとしてあるのではないか、というのが、この本において私たちが仮説として提示したものなのです。のちにさらにその上流に遡ることになりますが、二〇〇八年時点では、そのような理論を提示しました。

例えば綾屋さんは、空腹感、おなかが空いたという感覚がわかりにくいとおっしゃいます。私たちの多くはおなかが空いたという感覚を日常的に感じているわけですが、それは、胃のあたりがぎゅうっと締まった感じがするとか、口のなかから唾液がわいてくるとか、そういった「空腹感」に関係する身体の感覚を受け取ることで自覚していると思います。しかし本当は、例えば昨日は髪を洗えなかったので頭皮が気持ち悪いとか、指のささくれが痛いとか、背中がちょっとむずむずしてかゆいとか、喉が渇いているとか、じつにさまざまな感覚が同時に意識のなかに入り込んできているはずなのです。私たちの多くが空腹を自覚するのは、空腹感と関係のあるものとないものを無意識的に振り分け、空腹感に関係しているものだけに絞り込み、「空腹感」としてまとめ上げられているときだと言えるでしょう。

いっぽう綾屋さんの場合は、この絞り込みとまとめ上げに時間がかかります。結果的に「空腹である」と気づくまでに、何食も食事を抜いたりすることになったりもする。じつはこれは他の当事者の方に聞いても比較的多く報告される現象のようです。

空腹感以外にも、尿意がわからない、便意がわからないなど、外から入ってくる情報ではなく、内臓からくる情報について、それを絞り込んでまとめ上げることに困難な状況があるのだという具体例について報告する当事者は少なからずいます。知覚のなかでも「内臓」がきわめて重要だというのは、二〇〇八年以降私たちが一貫して考えてきたことでした。

皮膚の外側や内側からもたらされる大量の感覚を、平均的な人々は、その都度その都度の目的あるいは文脈に沿ったものに注意を傾けて絞り込み、それがどのようなカテゴリーなのかをまとめ上げています。つまり、「知覚」の構成です。そしてその知覚に行動で対処しています。空腹を覚えたら何かを食べる、というわけですね。

綾屋さんの場合、そのプロセスがゆっくりである。つまり、つねに大量の刺激が等価に意識に上ってきて、しかもそれが意味のまとまりにならないままに、生のデータの感覚に近いものとして意識に浮上するのだ、とこの本には書かれています。

國分　熊谷さん、どうもありがとうございます。最後のお話は僕の関心とも直接結びついているので、少しだけ僕のほうから補足させてください。

〈この〉性と想像力

國分　綾屋さんの知覚に関して、外部からの複数の刺激が等価に受け止められ、絞り込みとまとめ上げがうまくいかないということを熊谷さんがご説明くださいました。ここで少し、哲学の話をさせてください。

中世のスコラ哲学に「ハエッケイタス（haecceitas）」という概念があります。文字どおりには、「これhaec」であることを意味します。英語ではthis-nessと言うので、ここでは「〈この〉性」と翻訳したいと思いますが、個別具体的に特別な意味をもつものとして対象が現れてくるとき、その対象には〈この〉性があると言うんですね。言い換えれば、ほかならぬこの個体、取り替えがきかないこれとしてこの物やこの人を見るとき、そこには〈この〉性が見出されていると考えるわけです。

その逆は、例えば「先生」とか「学生」といったかたちで、個体を見ることです。このような一般名において個体を見ることとは、それをグループの一員として見ることを意味します。個体はそこでは一般的なグループに還元されている。それに対し、

〈この〉性において個体を捉えるということは、例えば熊谷さんを熊谷さんとして、國分を國分として捉えるということです。こう考えてくると、〈この〉性が固有名と結びついていることがわかります。固有名によって名指される個体には〈この〉性があるわけです。

固有名というのはじつは非常に厄介な存在でして、哲学にはこれについての厖大な研究の蓄積があります。そこで扱われている問題というのは、ものすごく簡単に言うと、どうして固有名はそれが名指している個体を名指すことができるのかというものです。例えば、「富士山」はなぜ、静岡と山梨にまたがるあの山を名指すことができるのか。

一つの説明として、固有名はそれによって名指されている個体についての無数の説明の束であり、それを省略したものなのだという考え方がありました。これを記述主義と言います。例えば、静岡と山梨両県にまたがる山であり、火山であり、日本の最高峰であり、海抜三七七六メートルであり……という無数の説明がじつは「富士山」という固有名に宿っていて、それを省略して「富士山」と言っているというわけです。

これはいわば、一般的な説明を無限に積み重ねることで固有名を説明してしまおうというやり方であるわけですが、詳しいことは省略すると、ソール・A・クリプキという人が、この記述主義の考え方の矛盾を明らかにしてしまったんですね。[*5] 個体を特定する説明のことを「確定記述」と言いますが、クリプキによれば固有名は確定記述の束には還元できない。どれだけ確定記述を集めても何か剰余が残る。

この剰余こそ、〈この〉性の根拠と言っていいでしょう。〈この〉性において捉えられた個体、例えば私、國分について、「大学の教授で、哲学を教えていて云々……」と、いくら確定記述を積み重ねていっても説明しきれない何かが残る。われわれの共通の友人である松本卓也さんはこの剰余のことを「クオリア」という言葉を使って説明しています。[*6] いうなれば「質感」ですよね。それが固有名の〈この〉性を支えています。少し説明が長くなってしまいましたが、この概念を使って、先ほどの熊谷さんのお話を別様に説明することができると思います。

すべての知覚、外的な刺激が等価なものとしてやって来るということは、あらゆるものが〈この〉性をもつものとして経験されているということです。まとめ上げと絞り込みがなされるためには、「これらは学生たちである」とか「あれらは先生たちである」のような一般名による把握が必要です。この部屋には無数のイスがありますが、多くの人はそれぞれのイスについて気にかけたりしない。なぜならそれらは「イス」という一般名で把握されているからです。しかし、あらゆるものが〈この〉性をもって経験されるというのは、まるで一つ一つのイスが名前を持っていて、自己主張しているかのように感じられるということです。すると、その人は外界から、到底処理しきれない、途方もない量の情報を受け取ることになる。

われわれの感性は多様なものを受け取ります。しかしわれわれは多様なものを理解するために、それらをカテゴライズしているわけです。

＊5　ソール・A・クリプキ『名指しと必然性——様相の形而上学と心身問題』（八木沢敬・野家啓一訳、産業図書、一九八五年）

＊6　松本卓也「自閉症スペクトラムと〈この〉性」（鈴木國文他編『発達障害の精神病理I』、星和書店、二〇一八年）

熊谷　そうですね。

國分　カテゴライズとはつまり一般的なカテゴリーに当てはめるということです。例えば雑草が生い茂っている野原を見たとき、さまざまな種類の草の一つ一つのクオリアを受け取っていたのでは、情報の処理がとても追いつかない。動けなくなってしまう。だから「これは草だな」という一般化が働く。

多様なものを一般的な枠組みに当てはめる作用のことを、哲学者のカントは「図式化」と呼んでいます。一般化や抽象化と捉えてもいいかもしれません。たいへん興味深いことに、カントはこの図式化を行うのは、精神のなかにある「想像力」という能力だと言いました。みなさんがよく知っているあのイマジネーションのことです。

ではなぜ図式化を行うのが想像力なのかは難しいところで、今日はそこまではお話しできませんが、カントに従うならば、まとめ上げと絞り込みがなんらかの仕方で想像力と関わっていることがわかります。そして気になるのは、しばしば「ＡＳＤは想像力の障害である」と言われることがあるということです。この定義は非常に雑なものであって、到底無批判に受け取れるものではありません。ただ、ＡＳＤを考えるうえで、想像力の問題に踏み込まないといけないというのは確かでしょう。

そのことと関連して、先ほども挙げた松本卓也さんの論文[*7]を参考に、児童精神科医レオ・カナーが一九四三年に報告した世界で最初の自閉症についての報告に登場するドナルド君の事例を紹介しておきたいと思います。[*8]注目したいのはドナルド君が用いていた言葉です。

例えばドナルド君は、靴を脱ぎたいときには「あなたの靴を引っ張って」と言い、おしっこに行きたいときには「おしっこに行きたいの？」と言っていたそうです。これはどういうことかというと、おそらくドナルド君はかつて、靴を脱ぎたいと思ったときに母親から「あなたの靴を引っ張って」と言われたことがあったのです。

子どもは最初「ママ」とか「ぶーぶー」といった一語文を使い、段々と二語文、三

＊7　松本卓也、前掲論文。
＊8　レオ・カナー「情動的接触の自閉的障害」（『現代精神医学の礎〈Ⅳ〉』、牧田清志訳、時空出版、二〇一〇年）

語文に進んでいきます。ドナルド君の言葉は一見すると二語文、三語文の段階に達しているように見えますが、そうではありません。「あなたの靴を引っ張って」は一語として機能しているわけです。

これを次のように解釈できるでしょう。ドナルド君はそのときの状況を正確に記憶しており、それを「あなたの靴を引っ張って」という言葉に対応させている。言い換えれば、ドナルド君はこの表現を使うたびにその具体的な状況をいわば追体験しているわけです。その具体的状況から言葉を引きはがさない。

ドナルド君は経験した出来事のクオリアを別の言葉に還元することを拒絶しているると言えます。言い換えれば、固有名として捉えられるべき出来事を確定記述に還元することを拒絶しているわけです。一語文が二語文、三語文より貧しいわけではありません。むしろ逆で、二語文、三語文を使えるようになるということは、目の前で起こった新しい出来事を手持ちの言葉の組み合わせに還元してしまうということです。つまり現実を抽象化し、一般化し、貧しいものにしている。

それに対し、ドナルド君は出来事を経験したときの驚きと喜びを何度も追体験しているわけです。ドナルド君はすべての言葉を〈この〉性をもつものとして経験している と言ってもいいでしょう。言葉を一回きりの文脈から引きはがして貧しくすることがない。

熊谷　絞り込みとまとめ上げがなされない状態を、〈この〉性を生きることとして表現するのは非常に興味深く思います。先ほど、エピソード記憶について少し触れましたが、エピソード記憶の特徴として、自分の経験のなかに一回のみ立ち現れたという、一回性というものがあります。時空間の一定の範囲内を、連続的な軌跡を描くようにして起きた出来事が、エピソード記憶というわけです。そして、いくつかのエピソード記憶をまたいで共通する部分を抽出してできあがるのが、確定記述的な図式化やカテゴリー化と呼ばれる作業と言えるでしょう。

二〇一〇年以降、私たちは、運動における経験をも包括的に説明しようと考えるなかで、まとめ上げ困難の上流に、事前に抽出した図式と、目の前に一回性を伴って現れた新規の事物との差異――予測誤差とも言われることがありますが――への敏感さがあるのではないかと考えるようになりました。もしもこの仮説が正しければ、予測誤差に鈍感な多数派が図式のなかに回収してしまうような事物を、綾屋さんは一回性のエピソードとして経験・記憶しやすいという可能性が導かれます。このことは、エピソード記憶の過剰産生を予測しますが、二〇〇八年の『発達障害当事者研究』で描いたエピソード記憶の飽和とその図式化困難もまた、同様に解釈できる可能性があると考えています。

いっぽう、固有名で指示されるような自己や非自己における〈この〉性は、乱立したバラバラなエピソード記憶の集合体のみでは十分に立ち上がらず、それらを時空間的に連続的につないだときに立ち上がるのではないか、ということを、二〇一三年以降、綾屋さんと私は考えています。そして、連続的につないだ結果立ち上がる一回性の自己を、私たちは自伝的記憶、またはマクロな自己感と呼んできました。当事者研究において探究するのは広い意味での自己と言えますが、そこには、確定記述的な図式化された自己と、連続性と一回性によって特徴づけられる〈この〉性を担保する自己の二つが含まれ、インペアメントの探究はもっぱら前者の自己の一部を構成すると考えられるかもしれません。

國分さんから非常に重要なテーマをいくつもいただきました。いずれも、『中動態の世界』にも深く関わるテーマでもあろうかと思いますし、われわれの当事者研究にも大きく関係するものばかりです。そしてその両者が関連し合っているということも、國分さんのお話をお聞きしつつ、改めて感じました。

國分　もしかしてみなさん、最後の僕の話が少し抽象的に感じられて、「当事者研究」から遠くに来てしまったように思われるかもしれませんが（笑）、当事者研究のおもしろいところは、きわめて具体的な話でありながら、このようなじつに哲学的な理論上の問題を提起し続けているところなんです。今日の熊谷さんと僕のやりとりには、今後の議論で扱うべき数々の問題が現れていたと思います。熊谷さん、みなさん、引き続き、どうぞよろしくお願いいたします。

最後に、何かご質問があれば。みなさん、いかがでしょうか。

質疑応答

質問1　健常者とASDの人の住み分けについて

――國分さん、熊谷さん、ありがとうございました。熊谷さんに質問させてください。わたくしはASD、自閉スペクトラム症当事者なのですが、定型発達の方、いわゆる健常者との共存と住み分けのどちらが大事だと思いますか？

熊谷　非常に重要な問題だと思います。ありがとうございます。「見えやすい障害」と「見えにくい障害」とも関係することだと思います。私のような見えやすい障害の場合、「思い切って健常者の側へ飛び込んでしまえ」という方向に行きがちなんですけれども、例えば聴覚障害の場合は、補聴器をつけていないと周りからは障害のことに気づかれなくて、多数派と同じに見えてしまう。困っている人とは見えないですよね。聴覚障害も見えにくい障害、あるいは困難が過小評価される障害の代表例ですが、身体障害と聴覚障害の歴史を振り返ると、逆のことを主張してきた部分があります。

聴覚障害の人たちの多くは、ある局面での「住み分け」が必要だと言ってきました。つまり、なんの配慮もない状態で下手に多数派のなかに入り込んでしまうと、自分についての基礎的な知識が得られなくなってしまう。そしてその結果、過剰な同調圧力にさらされてしまう。だから、住み分ける場所として、手話を用いた教育やコミュニケーションを行うろう学校に行かせてくれと主張してきました。

近年の全般的な傾向としては、障害のある人もない人も一緒に同じ学校で教育を受けるのが大前提なんですが、しかし、ろう者として生きる人々は、住み分けが重要だということを主張してきました。特に、アイデンティティを確立するまでの期間は、仲間同士の場に身を置いていないと自分というものが崩されてしまう。そのような歴史を踏まえると、もしかすると周りから見えづらい障害を持っている人にとっては、自分を知る当事者研究的な空間を保障するうえでも、住み分けの場所はとても重要なものになってくるかもしれない、というのが私の考えです。

ただそのいっぽうで、当然ですが、住み分けだけではいけないということもまた聴覚障害の歴史から言われています。聴覚障害者のみで生きていけるコミュニティがあるわけではないので、例えば、健常者のなかに手話のできる人を増やしたり、手話を言語として認める条例を要求したりなど、共生のための運動的な要素も必要不可欠です。

ですから、お答えとしては、住み分けて自分を知る研究的な場と、多数派の社会を変える運動的な実践の両方の場所が必要だ、と言えると思います。私たちは、ジェーン・マンスブリッジという政治学者の言葉を借りて「抵抗の飛び地」と呼んだりするのですが[*9]、共存する場所だけでは苦しいので、そこから少し離れたところに類似した仲間内だけで集まるような場所、それを両方持っておくということがすごく重要なんじゃないかと思います。

國分　仲間ですよね。仲間と一緒にいられるような場所があれば、共存しているときに高い同調圧力があったとしても、理解してくれる人がいるということですよね。

熊谷　ええ。弾き返せるし、そういう圧力にさらされたとしても、仲間の顔を思い出してこらえられる、というところもあるかな、と思います。

國分　とても大切なことだと思います。

質問2
ASDは精神分析で症状改善され得るか

——ASDに関して、やはり熊谷さんにお聞きしたいです。根本的な治療法は確立されていないけれども、精神分析的処置によって、完治とまではいかないけれども、症状の大幅な改善は見込まれると考えてよいのでしょうか。

＊9　田村哲樹『熟議の理由——民主主義の政治理論』（勁草書房、二〇〇八年、六八頁）

熊谷　現在における精神分析的なＡＳＤの支援法というのはあまり詳しくないので、そこに限定するとなると責任を持ってお答えできなくて申し訳ないのですが、精神分析のある側面ともちょっと似ている要素が、当事者研究のなかにもあるのではないかと私は考えています。当事者研究というのは、國分さんもよくおっしゃってくださるように、仲間とやる精神分析みたいなところがある。

國分　当事者研究は民主化された精神分析、もう少し言うと、お金がかからない精神分析とも言えるんじゃないかと常々思っています。

熊谷　精神分析は本当にお金かかりますからね（笑）。自分のことを、責められずに、しかも仲間と一緒に語っていくということが、「ＡＳＤ」としてパッケージ化されている困難集合のどの要素を変えるのか、という解かれていない問題に、まさに今、私たちは関心を寄せています。例えば私たちの研究の中間報告をいたしますと、いくつかの症状や困難は、当事者研究に参加することによって緩和されることが示されつつあります。ＡＳＤに限定してということですが。

具体的には、ＡＳＤにおいてよく報告されるフラッシュバックという現象があります。これは、過去に起きた出来事が、本人の意図に反して、例えば眠くなったときや疲れたときに、走馬灯のようにパッパッパッパッパッと勝手に再生されてきてしまう症状ですが、これが当事者研究によって減る傾向が見られています。

もう一つは、こちらも先行研究ではASDによく見られると報告されているものですが、当事者の言葉で言えば「ぐるぐる思考」、専門用語で言いなおすと「反芻」という現象ですね。これは、過去の嫌だった出来事や、十分に意味を解釈できていない出来事を何度も何度も思い出しては、「誰が悪かったのか」「私が悪かったんだろうか」「親が悪かったんだろうか」「友達のせいだったのか」など、犯人探しの文法で過去の出来事をなんとか解釈しようとする状態ですが、これが緩和するという傾向が示されつつあります。

成人のASDの当事者の方に「どんなことでいちばん困っていますか？」と聞くと、かなりの割合でフラッシュバックとぐるぐる思考、と答えられるんですね。必ずしも社会のなかでうまくやれない、ということだけがご本人の困りごとじゃないわけで、むしろ、ひとりでいるときのほうがつらいんだというふうなことをおっしゃっている方もいるわけです。まだまだ予備的な段階ではありますけれども、こうした症状は、当事者研究で緩和しそうである、ということが見えてきました。そして、この二つの症状はいずれも、自伝的記憶の連続的なまとめ上げがうまくいっていないときに生じやすいとされているものだという点も、非常に興味深いと感じています。

質問3

綾屋紗月さんはうつ病にならなかったのか

――やはり熊谷さんによろしいでしょうか。綾屋紗月さんはうつ病にはならなかったのでしょうか？

熊谷　いいご質問ですね（笑）。ぜひ私たちの本『発達障害当事者研究』を読んでいただけたら、と思うのですが、そこで記述されている現象を既存の精神医学の用語で言い換えようとすれば、それこそ診断基準に載っているすべての精神障害名があててはまりかねないと言えます。少なくとも広義には、統合失調症的なもの、うつ、不安神経症など、すべて登場していると言えなくもない。しかしそうなると逆に、それぞれの診断名にどのくらいの意味があるのかという気持ちにもなってきます。ですから、この本には、例えば「うつ」とラベリングする段階から、もう一歩踏み込んで、そこに至るメカニズムやプロセスのようなものについて書かれています。この本を読んでいただくと、綾屋さんがうつかどうかというより、「うつってこういうことなのかもしれない」と気づかれるヒントがあるかもしれません。

質問４
ＡＳＤの雇用について

――ＡＳＤの雇用の現状について教えていただければと思います。また、何かそのことに関して熊谷さんのお考えがあれば教えてください。

熊谷　現状、障害者の法定雇用率制度などの後押しもあり、「見えやすい障害」の雇用はいくらか広がってきたと思います。職場の人々も、見えやすい障害の範囲であれば、どう対応したらよいかイメージできてきたところがあるように思います。しかし、今まさに課題となっているのは、ASDや精神障害などの「見えにくい障害」に対しては、本人も雇用側も「どうしたらいいの？」と、依然としてわからないでいるという点です。どのように職場をデザインしていけばよいのかを模索している状態が続いているのです。

　私たちはちょうど数か月前に、企業の方に集まってもらって、職場で当事者研究をやろう、というプログラムをはじめたところなんです。そのとき私たちがこだわったのは、障害のある人だけに当事者研究をやらせないでください、ということでした。「障害がない」という自覚がある人たちも、足並みを揃えて当事者研究をやってくださいね、と言いました。そうでなければフェアじゃない。実際、障害のある社員だけに特別な配慮を行うやり方は、「私たちだってたいへんなのに、なぜこちらは支援や理解を求められるばかりで、支援も理解もされないのか」というかたちで、多数派の同僚のなかに障害者に対するネガティヴな態度を引き起こしかねないものでもありますし、障害者側にとっても、「なぜ自分たちばかり、一方的に自己開示をしなくてはならないのか」という感覚を引き起こす可能性があります。

お互いがお互いのことを知り合うのが当事者研究なので、職場のみんなでやりましょう、そうすることで、職場というもののなかに、何かあったときに誰かを責めるだけの文化ではなくて、困ったことがあればみんなとシェアして、それを研究のテーブルに載せて対処法を探るという文化が根づくことが大事です、と言っています。まだまだ課題は多いですけれど、本人だけが、あるいは周囲だけが頑張って職場に適応するのではなくて、社会モデルに基づき、職場のなかにある文化そのものを変えていく必要があると思っています。

質問5
ASDの中核にある障害について

――綾屋紗月さんに関してお聞きしてよいでしょうか。綾屋さんの場合、大量の感覚が入ってきてまとめ上げるのが困難だということですが、大量、というとき、それは量的な問題だけと考えてよいのでしょうか。また、ASDの場合は認知やインプットの障害、つまり質的な障害が中核にあると言えないでしょうか。熊谷さん、お考えをよろしくお願いいたします。

熊谷　ありがとうございます。まず一つ難しいのは、何をもって質的と言い、何をもって量的と判断するかということがありますね。

先ほども少しだけ話をしましたけれど、予測誤差に対する感度や閾値の違いだというう表現をすれば、量的な違い、ということになりますよね。でも、予測誤差に対する耐性の量的な違いが引き起こす二次的な現象は何かというと、一例を挙げると、世の中を範疇化するときのカテゴリー粒度の変化という、認知やインプットの質的な違いを生じさせる可能性があると言えると思います。

例えば目の前にあるこれを「机」とみなすのか、「広い机」とみなすのか。これまでの研究によると、ＡＳＤの方はカテゴリー化が細かい、つまりより〈この〉性に近いほうで範疇化する傾向があると言われてきました。そしてその理由として、予測誤差の耐性が低いという性質があるのかもしれない。やってくる情報に対して、「これは既存の範疇から外れている」と判定しやすい人は、新規の範疇を求める可能性があります。既存のカテゴリーから漏れてしまったもの――非典型例と言います――をカテゴリー化する場合、より細かなカテゴリーを必要としますので、世界を分節化するときのカテゴリー粒度がより細かくなる、ということが二次的に起きるであろうと言えます。このことは、質的といえば質的ですよね。

ですので、現状で私は、量的な差異を一次的なものに据えたうえで、質的な差異も二次的に説明できないか、という筋でチャレンジをしている段階です。とはいえ予備的な段階ですから、それが正しいかどうかはまだよくわかりません。

質問6
予測誤差が大きくなってしまう場合について

――予測誤差の範囲が小さいのがASDの方たちであると仮定した場合、逆に、一般の人から見て誤差が大きくなってしまう人というのは、どのように診断あるいは表現されるのでしょうか。

熊谷　非常に難しい質問ですね。予測誤差の感度が低いという状態から予想される現象というのはあると思います。すでに説明させていただいたように、カテゴリー化が粗くなるという現象、あるいは多少の想定外の出来事にそれほど動揺しないなど、推定されるいくつかの表現というのはあるのですが、それを表す診断名として既存のものがあるかというと、まだいま一つわかっていません。ただざっくりと言うと、知的障害と括られている方、もちろん全員ではないですけれど、そのなかに、おおらかで、カテゴリー化が広い方がいらっしゃるのは、それがいいとか悪いとかではなく、事実だと思います。そういう方の説明モデルとして、予測誤差に対しておおらかであるという説明が成り立つかどうかは、非常に難しいですが。

ただ、「知的障害」というカテゴリーもまた、ＡＳＤや発達障害というカテゴリーと同じく吟味すべき点が多く残っていますし、上記のような説明が独り歩きすることは誤解を招きかねないので、良いことではない、と私は思っています。

國分　みなさん、いろいろなご質問をありがとうございました。また熊谷さん、これからの議論の前提となる重要なお話に感謝いたします。

次回より改めて、どうぞよろしくお願いいたします。

第一章

「意志」と「責任」の発生

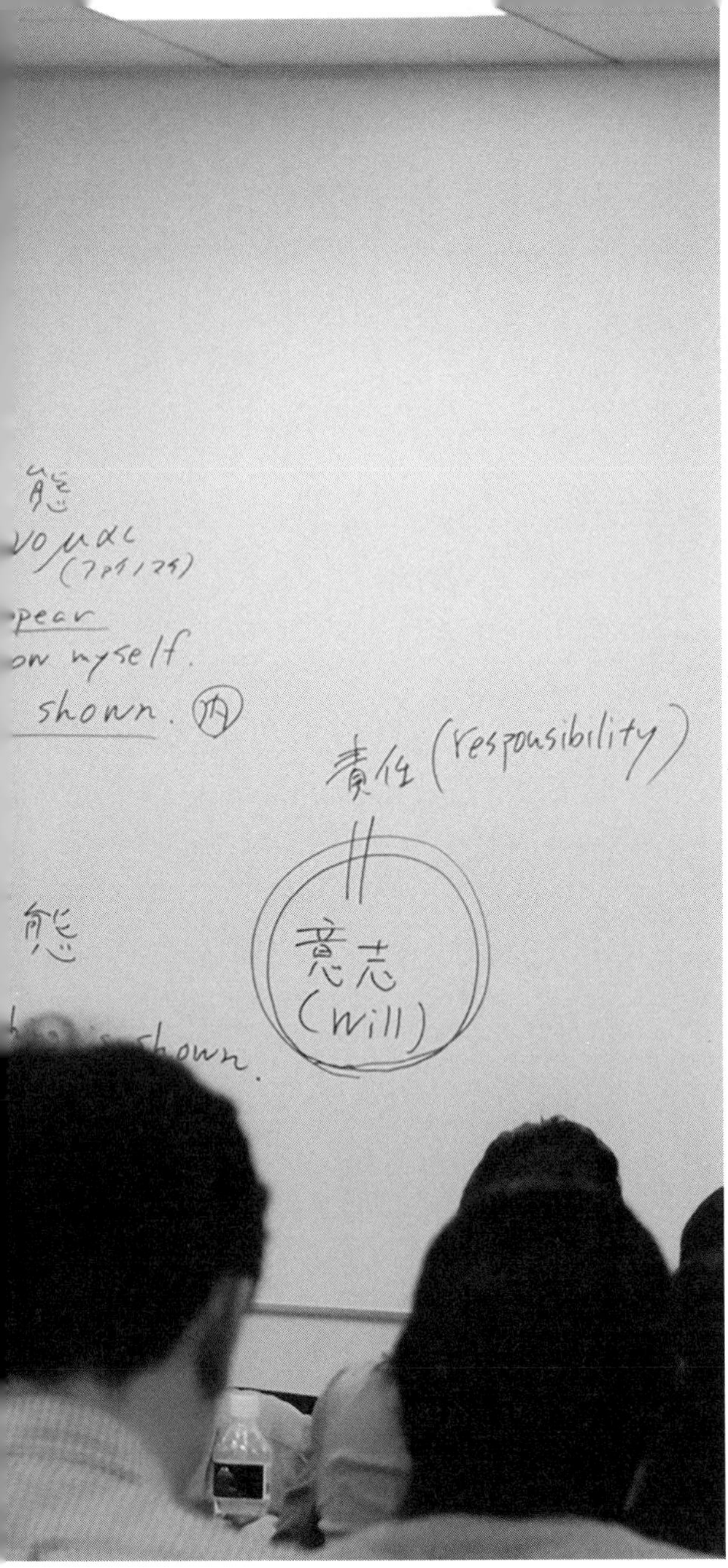

動詞
It rains
能動態
I show
能動態
I show something.
I appear

使い勝手の悪い日常言語

國分　前回のプレ講義を踏まえて、これから四回にわたって、僕が二〇一七年に出した『中動態の世界』と、熊谷さんたちが研究されている当事者研究との深い関わりについて考えていきたいと思います。

そもそも僕の『中動態の世界』は、熊谷さんとのある連続討議の場を一つのきっかけとして生まれた本でした。のちほどまたお話しすることになると思いますが、それだけに、この本について熊谷さんと討論できることをとても嬉しく思います。

今日は熊谷さんにこの本についての感想をお伺いするところからはじめていきたいと考えています。熊谷さん、ぜひ率直にお願いできますか（笑）。

熊谷　はい。國分さん、みなさん、どうぞよろしくお願いいたします。

『中動態の世界』、これはもう否応なしに、私が綾屋紗月さんたちと共に継続的に行っている「当事者研究」と結びつけながら拝読せざるを得ないものでした。今でもその思いは強く、当事者研究を進める際、繰り返し参照しています。

具体的にお話ししたいと思います。まず一つに、能動／受動のパラダイムで苦しんでいる人々を「中動態的枠組みへと引き込む」テクニックとして、改めて当事者研究の方法論の一部を読み解けそうだと感じたことです。またもう一つは、とりわけASD、自閉スペクトラム症や依存症の方たちによる当事者研究のなかに、中動態と関連づけられる主題がいくつか発見されるのではないかということです。前者は当事者研究全般の「方法」と中動態との関係、後者は具体的な当事者研究の「内容」と中動態との関係です。

詳しくはのちほど述べるとして、いずれにせよこの二つの点において共通しているのは、多数派の人々が使っている日常言語というものが、語彙のレベルでも、文法のレベルでも、語用のレベルでも、一部のマイノリティにとっては自分の経験を解釈したり他人と共有したりするためのツールとして使い勝手の悪いものになっているということです。

例えば私のような車いす使用者の人間にとって、エレベーターが備わっていない「多数派向けの建物」にはアクセス不可能であるように、「多数派向けの日常言語」にアクセスできないマイノリティが存在している。自分の困難を言い表す言語がないということは、本書の序章での言い方を使うなら、見えづらい障害を生きるということでもあります。そうしたことを考えるときに、かつて「中動態」というオルタナティブな言語デザインがあったということ、これはわれわれマイノリティにとって、きわめて大きな意味があるのです。

当事者研究にはさまざまな目的があり得ますが、その一つに、言葉のバリアフリーといいますか、現在マイノリティとされている者にとって、もう少し使い勝手のいい言葉がほしい、という切実な動機があると考えています。國分さんのご本は、当事者研究によって自分を語りなおすときの言語資源として、大きなヒントをくださるものと確信しています。

まとめ直してみますと、「具体的な当事者の経験を記述する言語資源としての中動態の可能性」と「当事者研究の方法を検証する概念としての中動態の可能性」について大きな示唆をいただいているということです。

『中動態の世界』と当事者研究

國分　ありがとうございます。少し、ほっとしました（笑）。

僕もこの間、熊谷さんを通して、当事者研究について多くを学んできました。とりわけ綾屋紗月さんによる自閉スペクトラム症の当事者研究、そして上岡陽江さんら「ダルク女性ハウス」の方々による依存症の当事者研究は、自分自身の研究に深い影響を与えてくれるものでした。今、熊谷さんが言葉のバリアフリーということを言われましたが、当事者研究を経験するというのは、まさに「言葉」の力をもう一度経験するということでもあると僕は思っています。

とはいえ、昨今の当事者研究の発展はすさまじく、正直に言ってそのスピードになかなかついていけていないところもありますので、そのあたりは熊谷さんに教えていただきながら議論を進めていければと思います。

この本を出して以降、講演会などをたくさんやってきました。多くの方々の感想や意見などをいただきましたので、それによって考えが進んだ点がたくさんあります。今回はそのように読者のみなさんを通じて、あるいは読者のみなさんとの共同作業によって得られたアイデアをフィードバックさせながら、『中動態の世界』と当事者研究のあいだの深いつながりについて、熊谷さんと共に、またみなさんと共に、遠慮のない議論を重ねていけたら、と思います。

熊谷　ぜひよろしくお願いいたします。せっかくの場ですから、このさい仮説などについてもいっさい恐れずに、どんどん口にしていきたいと思っています。

國分　同感です。思い切り大胆な仮説を期待しています（笑）。

今日のところは、『中動態の世界』を読まれていない方もいらっしゃるかもしれませんので、まずは「中動態」に関する簡単なおさらいからはじめて、そのあと熊谷さんとのやりとりに移りたいと思っています。……ところで熊谷さん、どうしてさっきから少しずつずるずると後ろに下がっていくんですか。

熊谷　すみません、授業を受ける気分になってしまったもので。ついつい学生時代を思い出してしまうんです（笑）。

「能動」「受動」は新しい文法法則である

國分 さて、そもそも「中動態」という言葉自体、一般的には聞きなれない言葉かと思います。英文法で「能動態」とか「受動態」を習ったことを覚えている方も多いかもしれませんが、それらの仲間、兄弟みたいなものです。この「態」、英語では「voice」と言います。中動態は「middle voice」です。能動態と受動態はそれぞれ、「active voice」「passive voice」と言います。

私たちが学校で習うのは能動態と受動態だけですから、「態」といえばその二つしかないと思ってしまいます。その結果として、どんなことにでもつい能動か受動かと考えてしまう。それはほとんど、癖のようなものになっているのではないかと思います。『中動態の世界』を書いているときも、「中動態？ なんですかそれ？」「能動態と受動態以外のものがあり得るんですか？」とよく聞かれました。

しかし、能動態と受動態だけではなく、中動態という態がかつてあったんですね。ではどうしてなくなったのかというと、ある時期から行為の分類の仕方が変わったということなんです。

では態に注目しながら、僕たちが今使っている言語がどのようなものであるかを考えてみましょう。英語で「I show something」と書くとこれは能動態ですね。では、受動態はどうなるでしょう？　熊谷さん、答えてください。

熊谷　ええと、「Something is shown」……

國分　あってます。

熊谷　よかった……（笑）

國分　よかったです（笑）

僕らはこうした能動態と受動態の書き換えをずいぶんと勉強させられますので、両者は対等であり、変換可能であり、したがって動詞の根源にあるものであり、さらには普遍的であると考えます。けれども、この能動と受動の区別というのは言語の歴史のなかでは比較的新しいものなのです。もちろん、古いとか新しいというのは相対的なものですけれども、『中動態の世界』が依拠するフランスの言語学者エミール・バンヴェニストによれば、この区別を根底に置いているインド゠ヨーロッパ語族の諸言語においても、これは少しも本質的なものではなく、かなり後世になってから出現した新しい文法法則だということがわかっています。

どういうことかというと、バンヴェニストが明快に指摘しているとおり、かつては能動態と受動態の対立は存在していませんでした。その代わりに能動態と中動態が対立していたのです。

僕の本のなかには古代ギリシアの話が繰り返し出てきます。紀元前四世紀ぐらいのギリシア語についてですが、その頃のギリシア語は態の編成をちょうど変化させつつありました。つまり、能動態と中動態の対立から、能動態と受動態の対立に移行する途中にあったのです。ですから、古代ギリシア語を学ぶと、能動態、受動態、中動態の三つの態が出てきます。

もともと能動態と中動態の対立しかなかったのだとすれば、当然、受動態はどうなっていたのだろうかという疑問を抱かれることでしょう。じつは受動は中動態が担っていた意味の一つに過ぎなかったのです。つまり、もともと受動というのは能動と対等な地位にはいなかったということです。

この変化の歴史を説明するとき、こんなたとえ話をしています。かつて東の名門「能動態」に対して西の名門「中動態」があり、両家は長い間、勢力を拮抗させていた。ところが、西の名門「中動態」家で下克上が起き、その家臣である受動という意味が「中動態」を倒してしまった。「能動態」家では下克上こそ起きなかったけれども、対立する相手が変更になったことで、自身も体制の変更を迫られた……。

この変化はそれぐらい大きなものです。政治史で言えば市民革命に相当するような大きな変化が、あるとき、言語に起こったのです。

中動態の定義

國分　では、中動態の意味、そしてこの変化の歴史について、ギリシア語を例にしながら具体的に見ていきましょう。

能動態と受動態の対立は「する」と「される」の対立として描き出すことができます。これは行為や動作の方向性に依拠する定義です。矢印が自分から外に向かえば能動だし、矢印が自分に向かえば受動となるわけです。

では能動態と中動態の対立ではどうだったか。バンヴェニストはこれを次のように定義しています。

「能動では、動詞は主語から出発して、主語の外で完遂する過程を指し示している。これに対立する態である中動では、動詞は主語がその座となるような過程を表している。つまり、主語は過程の内部にある」[*10]

ひとことで言うと、能動態と中動態の対立においては、「する」か「される」かで

*10　エミール・バンヴェニスト『一般言語学の諸問題』（岸本通夫他訳、みすず書房、一九八三年、一六九頁）

はなくて、「外」か「内」かが問題になっているということです。主語が動詞によって名指される過程の内部にあるときには中動態が用いられ、その過程が主語の外で終わるときには能動態が用いられた。

　ギリシア語には中動態だけをとる動詞があるのですが、それらを例にするとこの定義の意味がよくわかります。例えば「*βούλομαι*《ブーロマイ》」という動詞は「私は欲する」という意味です。英語で言えば「I want」です。欲するという過程は「私」という主語を場所としている。「私」という主語は「欲する」という過程のなかにある。

　現在の言葉ではこれは能動態として表されます。しかし、「私は欲する」は能動でしょうか？　というのも、欲するという過程においては、私が欲するというより、私のなかで欲望や欲求が働いて何かを求めるわけです。「私」はその欲望や欲求にむしろ突き動かされており、欲望や欲求が働く場所になっていると言ってもいい。しかし、現在の言葉ではそのことはうまく表現できません。主語が過程の場所になっていることを示す中動態ならばこれをうまく表現することができます。中動態は、「私」が欲するという過程のなかにあること、「私」という主語はその過程の場所になっていることを意味するからです。

現在の言葉では能動態として表現されるほかないが、それによってその意味するところが歪められてしまうという事態は、例えば、「ἔραμαι《エラマイ》」という動詞を考えてみてもよくわかります。これも中動態でのみ活用する動詞で、その意味するところは「惚れる」です。私たちは誰かを好きでいるとき、はたして能動でしょうか、受動でしょうか？　たしかに私がその人を好きなのでしょう。でも、その人に魅了されているのですから、惚れてしまうのはどう考えても受動です。しかし単に受け身なだけではない。

だから英語には「fall in love」という言い方があるのでしょう。しかし中動態ならこの事態を動詞の態として正確に説明できます。私は自分で誰かに惚れようとするわけではない。しかし、誰かに惚れることを強制されているわけでもない。惚れることが私を場所として起こっているわけです。

能動態と中動態の双方に活用する動詞を見ると、さらにわかりやすいかもしれません。「πολιτεύεσθαι《ポリテウエスタイ》」は中動態に活用していますが、これは「政治に参加し、公的な仕事を担うこと」を意味します。それに対し、この動詞が能動態に活用すると「πολιτεύειν《ポリテウエイン》」となって、「統治者として統治すること」を意味する。前者は民主政を表現するのに用いられます。民主政においては、自分たち自身が統治の場であり、その統治を行うのも自分たちであるわけですから中動態的です。それに対し、後者の場合は、例えばペルシアの王様がギリシアのポリスを統治するような場合に用いられます。統治者の外で、統治という行為が完遂するわけですから、これは中動態に対立する意味での能動態です。

バンヴェニストは能動態と中動態の対立を説明するために、それぞれを「外態」と「内態」と呼んではどうかと提案しています。というのも、中動態に対立する能動態と、受動態に対立する現在の能動態とでは意味が異なるのに同じ名前で呼ばれていて混乱するからです。今後、必要な場合にはこの外態と内態という名称を用いることにしましょう。

中動態の三つの意味

國分　今の説明でだいぶ中動態の意味を理解していただけたかなと思いますが、さらに別の例を用いながら、今度は態の対立の変化の意味について考えていきましょう。

　ギリシア語の動詞で「*φαίνω*《ファイノー》」という動詞があります。これは能動態に活用していて、「私が見せる」という意味です。英語で言えば「I show」になります。この「ファイノー」を中動態にすると、「*φαίνομαι*《ファイノマイ》」となります。さて、中動態においては、主語が動詞の示す過程の場所になるわけですが、すると「ファイノマイ」の意味はどのようなものになることが予想されるでしょうか。

　私自身が「見せる」という動作の場所であるわけですから、「ファイノマイ」は私自身が現れることを意味します。英語で言えば「I appear」ですね。つまり、中動態の意味はappearのような自動詞表現によって翻訳することができます。

　しかし翻訳の仕方はそれだけではありません。「私が現れる」とはつまり「私が見せられる」ことですから、これを「I am shown」という受動態表現で翻訳してもいいわけです。中動態の意味は受動態表現でも翻訳できます。

さらに、英語には再帰表現というちょっと変わった表現の仕方がありますね。「私が私自身を……する」という言い回しです。それを使うこともできます。つまり「ファイノマイ」ならば、「I show myself」と言ってもいいわけです。

「ファイノマイ」を例にすると、中動態の意味は、おおむね、現在の言語で言う自動詞表現、受動態表現、再帰表現の三つで表すことができることになります。言い換えれば、中動態のなかでは、現在ならばこれら三つの表現で表される意味が一体になっているわけです。

能動態／中動態から、能動態／受動態へ

國分　ここで注目していただきたいのは、自動詞表現「I appear」と受動表現の「I am shown」で表される意味がどちらも中動態によって担われているという点です。たしかに両者は同じ事態を指し示しています。私が現れるということは、私という存

在が見せられる、showされるということでしょう。だからそれらを中動態に活用した同じ一つの動詞、「ファイノー」が意味することは少しも不思議ではありません。

　けれども、ここで立ち止まって、僕らの常識でこれを眺めてみると、どうもおかしな感じがするわけです。なぜなら、「I appear」は能動、「I am shown」は受動であって、僕らはこれらを対立させて理解しているからです。中動態のなかでは、現在の言語の考え方からならば対立させられてしまう表現が同居しているのです。中動態があれば対立させる必要のないものを、現在は対立させているということです（一〇五頁の図参照）。

　では、中動態があった時代には存在しなかったこの対立はいかなる意味をもっているのでしょうか。これは『中動態の世界』で追究しようとした論点の一つでした。「I appear」も「I am shown」も、要するに「私が現れる」なわけです。では、なぜ現在の言語はそれらを対立させ、区別しているのか。先ほどの比喩で言うならば、受動態の下克上によって中動態が没落したことで、それまで中動態のなかで仲良くしていた自動詞的な意味と受動の意味が仲違いすることになったわけです。革命によって家族が切り裂かれ、敵味方に分かれたというようなイメージです。

では両者を対立させることにはいかなる効果があったのか。「I appear」と「I am shown」を区別することでもたらされる効果について、僕はこんな仮説を抱いています。この区別は、私が自分で現れているのか、それとも現れることを強制されているのか、それをハッキリさせたいのです。つまり、「お前は自分で、自分の意志で現れたのか？　それとも、誰かに引っ張り出されて、現れることを誰かに強制されたのか、どっちなんだ？　はっきりしろ」というわけです。

能動と受動を対立させる言語は、行為における意志を問題にするようになったのではないかと思うのです。そうすると同じ現象であっても、自分の意志で現れたのか、それとも現れることを強制されたのか、区別しなければならない。

「自分の意志でやったのか？　そうではないのか？」と強く尋ねてくるこの言語を、「尋問する言語」と僕は呼んでいます。中動態が消滅した後に現れたのは、そのような言語だったのではないか。つまり、中動態の消滅と意志概念の勃興には平行性があるのではないかというのが僕の仮説なのです。

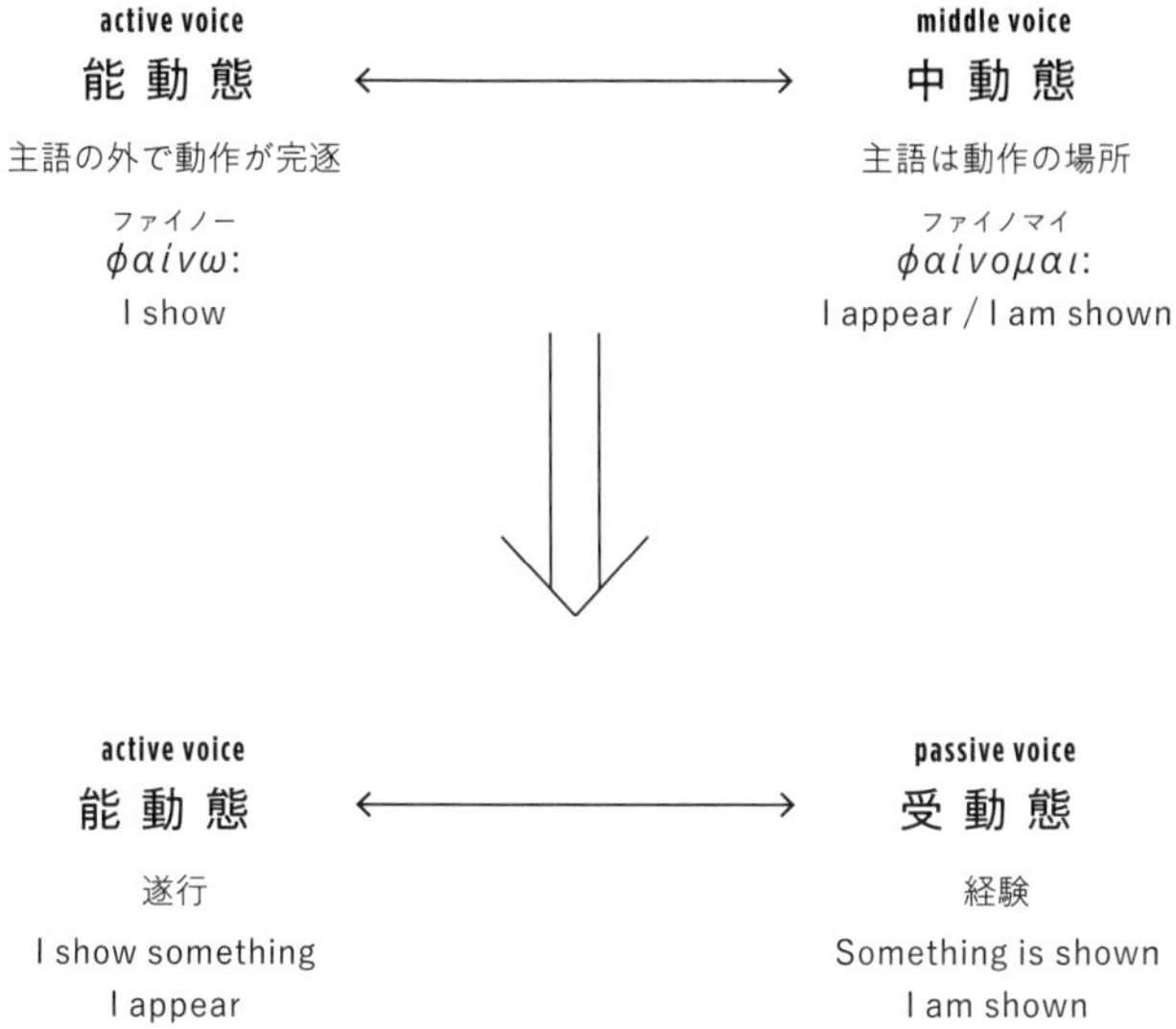

中動態の定義

「能動では、動詞は主語から出発して、主語の外で完遂する過程を指し示している。これに対立する態である中動では、動詞は主語がその座となるような過程を示している。つまり、主語は過程の内部にある」（エミール・バンヴェニスト「動詞の能動態と中動態」、『一般言語学の諸問題』所収、岸本通夫他訳、みすず書房、1983年、169頁）

「意志」の誕生

國分　実際、これは本を書くための調べごとをしている際に知って自分でも驚いたことなのですが、古代ギリシアには意志の概念が存在しないのです。そして、古代ギリシア語には中動態が残っていた。ここに因果関係を見出すことは難しいと思います。ただ、中動態の消滅と意志概念の勃興がどうも平行して起こっているように思えるのです。

　ならば意志の概念はどこから来たのか。哲学者ハンナ・アレントは『精神の生活[*11]』という本のなかで、意志の概念を発見したのはキリスト教哲学だと言っています。古代ギリシアとキリスト教はしばしばヨーロッパの起源として同一視されてしまうことがありますが、実際には非常に異なっているどころか鋭く対立しています。ギリシアは非常にアジア的であって、その文明の根底にあるのは循環する時間と自然という考え方です。それに対し、キリスト教は直線的な時間感覚を生み出しました。始まりと終わりがある時間という考えです。

アレントは、おそらく『ローマ人への手紙』を書いたパウロが意志概念の発見者であろうと言っています。アレントが依拠しているのは、パウロが律法について述べた有名な箇所です。「律法によらなければ、わたしは罪を知らなかったであろう。すなわち、もし律法が「むさぼるな」と言わなかったら、わたしはむさぼりなるものを知らなかったであろう」（『ローマ人への手紙』7-7）。アレントはこんなふうに解釈します。律法を与えられた人は、善を為そうとする。つまり、むさぼらないぞと意志する。しかしそのように意志することは必ず「でもむさぼりたいじゃないか」という「対抗意志」を生み出す。意志は必ず分裂していて、律法を実行しようとする意志は必ず罪を犯そうとする意志を活動させる。

「結局、意志が無力なのは、意志の成功を妨げる何か外的なものによるのではな

＊11　ハンナ・アーレント『精神の生活（上・下）』（佐藤和夫訳、岩波書店、一九九四年）

くて、意志が自らに邪魔するからなのである。そして、イエスの場合と同様に、意志が自らを妨害しないところでは、意志はまだ存在していないのである」[12]。

したがって、律法を遵守しても、罪を犯しても、この内面的な意志の葛藤は決して解決しません。パウロはそのような内面のみじめさ、あるいは人間の弱さを人々が認めることを求めました。正義が為されねばならず、したがって律法が守られなければなりません。しかし、律法を守ろうと意志すれば、その意志は必ず対抗意志を生み出す。パウロはこの葛藤を癒やすのは神の恩寵だけだと考えました。苦しさから逃れるために信仰が必要とされるわけです。

やや説明が長くなってしまいましたが、アレントはここから次のように述べます。パウロは意志について論じたわけではないが、律法についての考察のなかで、人間のなかに必然や強制とは無関係にイエスとノーを言う能力があること、そしてその能力が人間のやろうとすることを決定するかもしれないことを発見したのだ、と[13]。アレントはここでは意志の概念を肯定的に捉えていることに注意しなければなりません。

意志は必ず対抗意志を伴っているという論点は非常に興味深いものです。そして必ず対抗意志をもたらす意志なるものが、もしも僕らの行為の原理であるとしたら、僕らは行為について途方もない重荷を背負わされていることになるでしょう。必ず対抗意志を斥けなければならないし、対抗意志に従ってしまった際には、「それと逆の意志を自分はもっていたはずなのに……」と強く後悔することになります。意志の概念は人を苦しめるために発明されたような気すらしてきます。

パウロの思想を受け継いだキリスト教哲学最大の哲学者アウグスチヌスは、意志にとっては欲しながら欲しないということは奇怪なことではないと主張しました。[*14] まさに意志は必ず対抗意志を生み出すという考えを受け継いだものでしょう。そして、そ

＊12　ハンナ・アーレント『精神の生活（下）』前掲書、八四頁。
＊13　ハンナ・アーレント『精神の生活（下）』前掲書、八一頁。
＊14　ハンナ・アーレント「自由とは何か」（『過去と未来の間』、引田隆也・齋藤純一訳、みすず書房、一九九四年、二一八頁）

のような意志についてアウグスチヌスは、「精神は自らが動かされることを意志するまでは動かされない」のであり、意志のみが「われわれの力のうちにあり、意志は自由である」と主張するに至るのです。[*15] 理性でも欲求でも欲望でもなく、意志こそが行為の源泉だとされた瞬間と言ってよいかもしれません。

意志と無からの創造

國分 行為の源泉としての意志という考え方は、さらなる問題を引き起こします。自分の意志で行為するというのはどういうことでしょうか。自分が他の人にそそのかされたり、誰かに強制されたりしたのではなく、自分の意志で行為するということは、その行為の出発点が自分にあることを意味します。そして、意志を行為の出発点と見なすとは、その意志がピュアな源泉と見なされていることを意味します。つまり、意志に先行する原因は存在せず、何もないところに意志がむっくりと現れて行為を生み出したということです。

キリスト教には世界の誕生を説明する「無からの創造」という言葉があります。ラテン語なら「creatio ex nihilo」、英語なら「creation out of nothing」です。意志というのはまさしく「無からの創造」としてイメージされていることがわかります。神は何か材料を使って世界を創造したのではない。同じく意志も、周囲や過去からの影響とは無関係に、無から生まれたと見なされているわけです。

しかし実際には、人間の精神のなかにそのような無からの創造などあり得るはずがありません。われわれには過去があってそれに影響されているし、外界からも完全に隔絶することはあり得ないわけですから、つねに外部からの刺激を受け続けている。ピュアな源泉である、無からの創造としての意志というのは不可能なのです。何ものからも自由で、何ものにも先行されない意志というものはあり得ない。にもかかわらず、僕らはこの意志という概念を日常的に利用している。だとしたら、これはもう信

＊15　ハンナ・アーレント『精神の生活（下）』前掲書、一〇七頁。

仰としか言いようがありません。つまり、僕らは意志信仰のなかにいる。そして意志がキリスト教哲学によって発見された概念であるのならば、僕らはクリスチャンであろうとなかろうと、キリスト教哲学の影響下にあるのだとすら言えるかもしれません。

無からの創造としての行為などあり得ないというのは、行為へと至る因果関係は複雑に絡み合っていると同時に、それはいくらでも遡っていけるということです。にもかかわらず、意志を無からの創造、行為のピュアな源泉と考えているとしたら、われわれはそのとき、単に因果関係を見ないようにしているだけです。あるいはその因果関係を無理矢理にどこかで切断しているのです。

例えば僕は今日の昼飯にあたたかいうどんを食べましたが、なぜうどんにしたのか。家にうどんがあったからかもしれないし、昨日、うどんを特集したテレビ番組を見たからかもしれない。あるいは友人がこんな陽気の日にはうどんだよな、と言っていたのを思い出したからなのかもしれない。またそもそも、僕がうどんを食べられる人間でなければならない。では、どうして僕がうどんを食べられる人間に成長したのか……そういうことを考えはじめたら、無限に遡っていけるわけです。

それにもかかわらず僕が「自分の意志でうどんを食べることに決めました」と言うとしたら、それは因果関係を意志の向こう側にまで遡っていくのを単に避けているだけです。別の言い方をすれば、意志という概念を使って、因果関係を恣意的に切断してしまっているわけです。意志という概念が切断の効果をもつことがわかります。そしてそれは、本来切断できないものを切断しているわけです。

ではなぜそんな無理なことを日常的に行っているのか。ここに責任の概念が絡んできます。

意志・選択・責任

國分　イタリアの哲学者ジョルジョ・アガンベンは『身体の使用——脱構成的可能態の理論のために』のなかで、意志についてじつに興味深いことを述べています。

「意志は、西洋文化においては、諸々の行為や所有している技術をある主体に所属させるのを可能にしている装置である」[*16]。

意志の概念によって行為をある主体に所属させることができるようになる。では、行為を誰かに所属させるとはどういうことでしょうか。もちろんそれは、その行為をその人の持ちものにするということです。行為がある種の私有財産となるわけです。ではなぜそのようなことが必要なのか。それは責任を考えるためです。ある行為が僕のものなら、その行為の責任は僕にあることになります。そうでなければ、それは僕の責任ではなくなる。このようにして行為を所有物とする考えの根拠とされるのが「意志」の概念であるわけです。

ここで責任と意志の関係を巡る一つの例を出して考えてみましょう。僕が高校生のときに本当にあった話です。いつも授業中、寝ている友達がいました。今でも仲良くしているヤツなんですが、あるときとうとう、教師からすごい勢いで怒鳴られたんですね。「お前は、どうしていつも授業中に寝ているんだ!!」で、その後、先生が少し優しい口調でこんなことを言ったんです。「昔、俺が教えた生徒に、彼女と同棲していて、夜中にバイトをせざるを得ないから、授業中どうしても寝てしまうんだと言ってきた者がいた。お前にも人に言えないそんな事情があるのか？」

僕は彼が怒鳴られたことより、先生のコメントの方に驚いてしまって、「東京の学校ってすごいなあ、高校生で彼女と同棲なんてことがあるのか……」と思ったのをよく覚えています（笑）。が、それはさておき、その後、不思議に思ったんですね。先生は彼にもそういう事情があるならば、授業中に寝てしまうことも仕方のないことなのであり、彼は叱責されるべきではないかもしれないと考えていたわけです。でも、授業中に寝ていたことには変わりありませんよね。なんでだろうって思ったんです。

朝までゲームをしていて、そのせいで授業中に寝ているのだったらどうでしょうか。間違いなく、叱られるでしょう。ではなぜ叱られるのか。彼は早く布団に入って寝ることもできた。それなのに「朝までゲームをする」ほうを選んだ。どちらも同じよう

＊16　ジョルジョ・アガンベン『身体の使用――脱構成的可能態の理論のために』（上村忠男訳、みすず書房、二〇一六年、一一三頁）

に選ぶことができたのに、彼は自分の「意志」でゲームをすることを選んだ。だから「授業中に居眠りした」という行為の責任は彼にある、という理屈になります。

でも、よく考えると変です。実際のところ彼はなんとなく朝までゲームをしてしまったにすぎません。自分の「意志」でゲームをすることを選択したわけではない。でも、その人は、早く床に就く選択肢とゲームを朝までやる選択肢の間で後者を能動的に選択したと見なされ、それ故に叱責されるわけです。少なからぬ人が「彼は朝までダラダラとゲームをしてしまう意志の弱い人間だ」と思うのではないでしょうか。ところが、そのような「意志の弱い人間」が、なぜか叱責の場面になると、二つの選択肢の間で、どちらかをみずからの「意志」で選んだ人間として現れてくる。

これはどういうことかと言うと、本当は「意志」があったから責任が問われているのではないのです。責任を問うべきだと思われるケースにおいて、意志の概念によって主体に行為が帰属させられているのです。

こう考えると、「意志」と「選択」を分けて考えることができるようになります。意志と選択はしばしば一体と見なされます。選択がなされたならそこには意志があったのであり、意志があるから選択がなされるのだ、と。しかし、意志は心のなかに感じられるものであり、選択は現実の行為です。存在している水準がまったく異なっている。

さて、あらゆる行為は選択と見なすことができます。朝までゲームをするという行為は、寝るのではなくてゲームをするという方を選択しているわけです。そして、行為すなわち選択は、意志の有無と関係ありません。ただそのような行為すなわち選択がなされているだけです。ところが、責任を問われなければならない場面になると、突然、意志という概念が現れてきて、その行為すなわち選択に飛びつくのです。

僕らが意志と選択を同一視してしまっているのは、意志を使って選択の責任を問うということにあまりにも慣れきっているからです。しかし、両者はまったく別のものであって、まずはこれを区別して考えないといけない。

僕らは不断に選択しています。何をするのもすべて選択です。それに対し意志というのは、後からやってきて、そこに付与されるものです。付与された後で、その選択が私的な所有物にされる。「この行為はあなたのものですね」ということにされる。

そうして責任が発生する。

行為のコミュニズム、ドゥルーズと「義の心」

國分　普段、僕らはこういうメカニズムに基づいて責任を考えています。しかし、これはどこかおかしいのではないかとも僕は考えているんです。最後にそのことを説明させてください。

責任を英語で「responsibility」と言いますね。これは応答を意味する「response」から来ています。つまり責任は応答することと関係している。けれども、われわれの知る意志の概念によってもたらされる責任はどこにも応答の契機がありません。なぜでしょうか。

そもそも責任が応答と結びついているとはどういうことか。『論語』に「義を見てせざるは勇無きなり」という言葉があります。「人の道として当然行うべきことと知りながら、実行しないのは、勇気がないのだ」ということです。誰に頼まれたわけでもない。しかし、何か自分はやらなければならないという義を感じる。その義に応じようとするとき、人は義に対して応答していることになります。

責任というのはこのような「義の心」のことではないでしょうか。自分が応答するべきである何かに出会ったとき、人は責任感を感じ、応答する。これがそもそもの責任という言葉の意味ではないでしょうか。

するとこう考えられます。意志の概念を使ってもたらされる責任というのは、じつは堕落した責任なのです。本当はこの人がこの事態に応答するべきである。ところが、応答するべき本人が応答しない。そこで仕方なく、意志の概念を使って、その当人に責任を押しつける。そうやって押しつけられた責任だけを、僕らは責任と呼んでいるのです。

僕の専門である哲学者のジル・ドゥルーズは、責任について直接論じることはほとんどないのですが、じつは絵画論である『フランシス・ベーコン——感覚の論理学』のなかでこれを間接的に論じています。ドゥルーズはこんなことを言います——われわれは何かについて責任を負うことはできないのであって、何かを前にして、われわれは責任を感じる存在になるのである、と。[*17] 僕にはドゥルーズのこの言葉が「義の心」につながるのではないかと思えてなりません。

『中動態の世界』には「意志と責任の考古学」という副題が付けられているのですが、じつは「責任」の話はほとんどしていません。最後の『ビリー・バッド』を論じた九章（「ビリーたちの物語」）において責任と法の関係を問い直し、今後へと続くことにはなっているのですが、この一冊では限界がありました。今後、今お話ししたような責任の問題について、さらに考えていきたいと思っています。

以上、長くなりましたが、『中動態の世界』のおさらいを兼ねた僕の話はここまでにします。

「傷と運命」

熊谷　ありがとうございました。

國分さんのお話の最後の、「責任」の概念を次の段階へと向けて思考されようとしていること、「意志」と「責任」を一緒くたにして放棄してしまうのではなく、「責任」を本来のかたちで再び救済しようというお話に、とても期待を感じました。『中動態の世界』について、よく「では、中動態では責任は取らなくていいんですね」などの誤解がありますが、けっしてそうではない、ということですね。改めて國分さんのお考えを理解することができました。

では私は、國分さんとの出会いから今までを振り返りながら、國分さんの思想が私からはどんなふうに見えているかをお話ししていきたいと思います。もちろん、國分さんのお仕事のすべてをフォローしているわけではないので、特に、『暇と退屈の倫理学』[*18]と『中動態の世界』の二つのご著作を受けて私が考えてきたことから、まずは

＊17　ジル・ドゥルーズ『フランシス・ベーコン――感覚の論理学』(宇野邦一訳、河出書房新社、二〇一六年、四章)
＊18　國分功一郎『暇と退屈の倫理学』(朝日出版社、二〇一一年。増補新版は、太田出版、二〇一五年)

述べていきたいと思います。

『暇と退屈の倫理学』からはたいへんな衝撃を受けましたし、数多くの発見もありました。だからぜひ一度國分さんとお話ししたい、と私のほうから積極的にアプローチしたと思います。

國分　たしかTwitterのDMでご連絡をいただいたんでしたよね。

熊谷　ええ、私がけっこう絡んでいったというか。

國分　そうでしたっけ？（笑）

熊谷　はい（笑）。私の記憶が確かなら、「個人差」の問題をどうするんだ、という絡みをしたわけです。つまり「退屈と一言でおっしゃるけれども、五分でそれに耐えられなくなる人と、三日は耐えられる人、一年間耐えられる人、もしかしたら一生耐えられる人がいるかもしれない。退屈には耐性の個人差がある。この問題を國分さんはどう扱うのか」と。

私はじつは、夏休みとかがたいへん苦手な子どもでした。何もやることがなくなると、もう、耐えられない。おそらく國分さんもそうではないですか。

國分　そのとおりです（笑）。いまだに僕は正月がじつに苦手ですね。

熊谷　お正月は、三日間、強制的に暇を与えられてしまいますからね。

國分さんのご本を読んで、私の頭のなかにまず浮かんだのは、アルコールや薬物依存症からの回復を望む女性たちの施設「ダルク女性ハウス」の施設長でもある上岡陽江さんのお話でした。上岡さんは、みずからもサバイバーのひとりであり、私は比較的長くおつき合いをさせていただいていますが、出会った最初の頃にお聞きしたことです。

小さい頃、特にトラウマ（心的外傷）を経験した人のなかに、暇になると地獄が訪れる人がいて、そんな彼ら、彼女らは、『暇と退屈の倫理学』で國分さんが書かれていた「気晴らし」にあたる、喧嘩をしたり、薬物を使ったりなど、みずからを覚醒し高ぶらせる行為で、地獄のような退屈をしのいでいるのだ、と。

当時はまだ、そのことの意味をよくわかっていなかったのですが、いっぽうで私は、「傷」と「退屈」のあいだに何か関係がありそうだと以前から感じていて、そのことをテーマに、「痛みから始める当事者研究」という文章を書きました。[*19] そこでは、傷の「知覚」と「記憶」を分けてみたのですが、ちょうどその頃に、『暇と退屈の倫理学』で國分さんが退屈について論じているのを読んだのです。

これもやはり以前、上岡さんから教わったエピソードなのですが、いわゆる「非行少年」に、「なぜ薬物を使ったのか?」と聞くと、「暇だったから」と答えることがあるそうです。そうすると多くの大人はどうしても「暇だから薬物をやるなんて!」「とんでもない。けしからん!!」と思ってしまう。でも、大人はしばしば、少年が使う言葉の意味を取り違えます。上岡さんは、「非行少年」は単に悪ぶってそう言うのではなく、「暇」という言葉で、地獄のような苦しみを表現しているのだと。そしてそこから救われようと、いわば祈りの行為として非行に走ったのだ、と言われていました。

いっぽう國分さんは、『暇と退屈の倫理学』のなかでパスカルを引きつつ、退屈は、人間の苦しみのなかでも最も苦しい苦悩だと書かれていました。「退屈」なんてたいしたことではないと思われているが、それがしのげるのであれば、じつは人間はどんなことでもやるんだと。「退屈」は、それほどたいへんなことなのだと説明されていた。そしてその初版から三年と少し経って出された同書の増補新版には、「傷と運命」という論考が書き下ろされています。私がこれまで上岡さんからお聞きしてきたこと、それをもとに上岡さんや國分さんたちと話し合ってきたことが体系的に整理されていて、非常に教えられた気持ちになったのです。

國分　いえいえ。お話の途中ですみませんが、熊谷さん、上岡さんとの出会いは、まさに僕にとっても決定的なことでしたし、それ以降もいろいろなかたちでディスカッションを続けてくださっていること、これは僕のほうこそ本当にありがたいことだと思っています。

＊19　熊谷晋一郎「痛みから始める当事者研究」（石原孝二編『当事者研究の研究』、医学書院、二〇一三年）

「予測誤差」とトラウマ

熊谷　恐れ入ります。ところで國分さんとはじめてお会いしたころの私は、「予測誤差」という概念に強く関心を持っていて、それ以降、國分さんとの議論のなかで、繰り返しこれについて言及してきました。

予測誤差とは何か、ここで簡単にみなさんにご説明しておきたいと思います。私たちは誰でも「ああなりたいな」といった期待や、あるいは「ああなるだろう」といった予測を持って生きています。正確には期待と予測は違いますね。期待は「ああなりたい」、予測は「ああなるだろう」ですから、期待どおりの展開が予測されない場合もあります。けれども、ここではひとまず期待と予測を、「予測」とひと括りにして話を進めます。

人は予測を持って生きている。けれども、生きていれば当然、予測が裏切られることがある。その裏切られる体験のことを予測誤差と呼ぶことがあります。

すでに少しお話ししたように、当時の私は、綾屋紗月さんと共にASD、自閉スペクトラム症の当事者研究を進めていくなかでさまざまな発見を得て、またそこから考えられる推論をしてきました。ＡＳＤの場合、その一部には予測誤差に敏感な体質があるのではないか、とか、あるいはトラウマとは、かなり強い予測誤差を経験したときに生じるのではないか、とか。また、いわゆる一般社会のなかではそれほどトラウマ的とは思われない出来事に関しても、予測誤差への過敏さゆえにトラウマ反応を示すことがあるのではないか、などです。そしてそれらのことが國分さんのお仕事とじつは深くリンクするのではないか、といつも考えていたのです。

そもそも、予測誤差に直面したとき、人はどういう反応をするか。例えば、生まれたばかりの頃は何もかもが一回性のはじめての出来事だらけです。しかし何度もそれを経験するうちに、複数の出来事を貫くある種の規則性、パターンを学習していきます。こうなればこうなる、というかたちで、自分の身体を含めた世界に対しての見通しを学習します。そして、だんだんと世の中全体を予測することができるようになっていく。そうやって予測を洗練させていくことで、予測誤差が発生することになります。予測がなければ、予測誤差は論理的に生じませんので。

予測誤差が発生するということは、従来持っていた予測体系が十分に出来事を予測できる精度を備えていないということを意味します。ゆえに、人は予測誤差に直面すると、予測をより精確なものへと更新し、その結果予測誤差は発生しにくくなり、またこうして予測が洗練されることで、多くの人は予測誤差に慣れていく。つまり、世のなかを読むことができるようになる。それが「一般的」とされる発達のなかで起きることです。

予測誤差が適度であれば、それでいい。しかし例えば、小さい子どもの許容量を超えて予測誤差が入ってくる場合がある。このような経験は、予測の更新という通常の仕方では慣れることができません。そうした閾値を超えた予測誤差のことを私たちはトラウマと呼んでいるのだと、私や綾屋さんは考えています。

記憶の蓋が開くとき

熊谷　さて、ここである疑問が生じます。今までお話ししたことからおわかりいただると思うのですが、人は、予測を洗練させていくことで、世の中の見通しを立てていくことができるようになる。逆に言えば、人は予測誤差をなるべく避けようとする、ということです。多くの研究者たち、そしてご存知のとおりフロイトも「快感原則」という言葉で、そのように語っています。

であるはずなのに、われわれは、わざわざ予測誤差をみずから求めにいくことがある。みなさんにもきっと思い当たる節があるのではないでしょうか。ということは、そもそも本当に、人間は予測誤差を減らしたいだけの生き物なのだろうかという疑問が立ち上がってくるのです。

最も予測誤差が生じないのは、暗い部屋で何もしないで、じっと閉じこもっている状況です。もしも人間が快感原則だけで生きているなら、それが一番心地よいことになるはずです。しかし人はそれを求めない。認知科学などの分野ではこれを「ダークルーム・プロブレム」と呼び、ずっと議論が続いているテーマでもあります。

さて、ここまでお話ししてくると、この問題が、國分さんの『暇と退屈の倫理学』のテーマと重なることがおわかりでしょう。人は予測誤差を減らしたいはずなのに、なぜわざわざ自分から進んで予測誤差を取りに行くようなことをするのか？　言い換えれば、人はなぜ愚かにも「退屈しのぎ」をしてしまうのか。この問題を解く鍵は、トラウマ、つまり予測誤差の記憶にあるのではないか。何度も國分さんとディスカッションを重ねてきて、私たちはそのような仮説を立てています。

私たちは、生まれてから今日に至るまで、大量の予測誤差を経験しています。過去の予測誤差は、それを思い出すたびに叫び出したくなるような「痛い」記憶が多々含まれていると思います。誰でも痛いのは嫌です。わたしももちろん嫌です（笑）。しかも予測誤差の記憶は、範疇化を逃れた一回性のエピソード記憶の形式をとります。予測可能にするためには、反復するカテゴリー（タイプ）の一例（トークン）として、その予測誤差の記憶を位置づける必要があるわけですが、一回性の記憶は私のなかでは反復していませんから、論理的に無理なことです。

おそらくそこで重要になってくるのは、類似したエピソードを経験している他者との言語（タイプ）などを通じた分かち合いだろうというのが、私の考えです。一回性の記憶は、他者を媒介に反復させることによってトラウマ記憶ではなくなるのではないか、という考えですね。そうすることで、集合的な予測のなかに自分のエピソード記憶が位置づけられたときに、それはなまなましいトラウマ記憶ではなく、通常の嫌な記憶として御しやすいものになっていくのでしょう。

ところが、そういった他者がいないとか、媒介する言語が流通していないなどが理由で、予測誤差の記憶がセピア色の思い出になってくれない場合があります。このような予測誤差の記憶を、私たちは「トラウマ記憶」と呼んでいるのではないか、と私は考えています。これは特別な人にだけ起こり得ることではなく、大なり小なりおそらくすべての人がトラウマ的な記憶をもっていると思いますし、忘れていたはずの過去のそんな記憶の蓋がある日突然開いてしまうこともあるかもしれません。とりわけ重要なのは、その人の覚醒度が落ちたり、あるいは何もすることがなくなったりした瞬間に、蓋が開きやすくなるという点です。

記憶の蓋を開けないためには、例えば、覚醒剤とか鎮静剤にひたる、あるいは仕事に過剰に打ち込むもうとすることで覚醒度を〇か一〇〇にしていると考えられるのではないか。つまり、痛む過去を切断して、未来に向けて邁進するような方向に向かうのではないか、と。予測誤差の知覚は、覚醒度を高める効果があります。それによって、地獄のような予測誤差の記憶に蓋をすることができる。こうして、予測誤差を求めてしまう人間の性を、予測誤差の記憶の来歴によって説明できるのではないか、というのが、私が國分さんとの数年の討議を通じてたどり着いた仮説でした。しかし、予測誤差の知覚は、当然すぐさま予測誤差の記憶へと沈殿していきますから、このサイクルは終わることがありません。しかも、予測誤差の知覚を与えようとして繰り返し気晴らしを行えば、反復によってそこで得られる知覚は予測可能になっていくので、気晴らしはエスカレートせざるを得ない宿命にあります。

　誰もが大なり小なり傷ついた記憶を持っている。そんなわれわれ人間にとって、何もすることがなくて退屈なときが危険なのではないか。そんなときに限って、過去のトラウマ的記憶の蓋が開いてしまう。だから私たちは、その記憶を切断する、つまり記憶の蓋をもう一回閉めるために予測誤差の知覚を得ようとして、いわゆる「気晴らし」をするのではないだろうか、と。

ヒューマン・ネイチャー／ヒューマン・フェイト

熊谷　今でもこれは有力な仮説ではないかと私は思っています。人はたしかに予測誤差を減らしたい生き物ですが、実際、生きていれば、予測誤差は必ず生じる。そういう意味で、私たちはみんな傷だらけなわけです。だからこそ人は退屈に耐えられない。退屈というのは、古傷の疼きの別名ではないだろうか。これが、國分さんが二〇一五年に、増補新版の『暇と退屈の倫理学』を出される前あたりでの、私と國分さんとのあいだの暫定的な答えでした。

そして國分さんは、同書の増補部分において、ルソーを引きながら、予測誤差をおおよそ次のように整理されたかと思います。

――予測誤差を少しでも減らしたいという特徴は、おそらく人間が生まれつき持っているものだろう。傷を得る前から、生まれながらに備わっている、身体が宿している特徴や傾向、人間の本性というべきものを「ヒューマン・ネイチャー Human

Nature」と呼ぶことができる。ところが、生きていると無数の傷を負う。すると、先ほど言ったように、「ヒューマン・ネイチャー」に反して、自分から、傷を求めるような行為をしてしまう。だから「ヒューマン・ネイチャー」からだけでは、なぜ人が退屈になるのか、なぜ人が愚かな「気晴らし」にのめり込んでしまうのか説明できない。生きていればやむなく、ほとんどの人間が自分を傷つける経験をしてしまう。誰も無傷ではいられず、傷だらけになる運命にある。その運命に基づく人間の性質や行動を「ヒューマン・フェイトHuman Fate」と呼ぶことができるのではないか。考えてみれば、そういう少し悲しい運命が、例外なくすべての人に課せられている。こう考えると、「ヒューマン・ネイチャー」と「ヒューマン・フェイト」の両方を踏まえたときにはじめて、なぜ人は退屈になるのか、そして退屈に対する耐性の個人差が生じるのかが説明がつくのではないか。

以上、國分さん、大丈夫でしょうか？

國分　すばらしい、ばっちりです。

熊谷　よかった……（笑）

國分さんのこの整理は、私にとって非常に納得のいくものでした。では次に、退屈と中動態がどう関係しているのかに移ります。今ご説明した「ヒューマン・フェイト」の話がヒントになろうかと思いますし、その接点は、おそらく先ほど國分さんが話された「無からの創造」にあるかと思います。

順番に説明します。まず、これは仮説なのですが、一つに、先ほども薬物の例でご説明したとおり、依存症とは、痛む過去を切断しようとする身振りなのではないかということです。過去の記憶の蓋が開けば地獄が訪れる。そういう人にとっては、蓋は閉まっていた方がいい。そのためには、過去を切断して、それ以上遡れない状態にしたい、今を出発点にしたい。つまり過去とは無関係に、現在や未来を「無から創造」したい。過去の記憶がよみがえることで訪れるのが「地獄」だとしたら、意志の力で、現在と未来しかない生を生きたい。言い換えれば、中動態を否定して、一〇〇パーセント能動態の状態になりたい。地獄の到来が想定されるのなら、そのように思ってもなんの不思議もありません。そして私には、國分さんの『中動態の世界』は、この「切断」あるいは「無からの創造」という考え方そのものへの批判として読むことができたということを述べておきたいと思います。

「12のステップ」というプログラム

熊谷　さてここで、先ほどからお話が出ている上岡陽江さんたちのダルク女性ハウスをはじめ、依存症の自助グループのなかで採用されている「AA12のステップ」（以下「12ステップ」）と言われるプログラム（左ページ）について少しお話ししていきたいと思います。これはもともと、アルコール依存症の自助グループ「AA」（アルコホーリクス・アノニマス／匿名のアルコール依存者たち）によって文章化され、回復の指標とされているものです。この12ステップについては、のちほどまた詳しく触れたいと思いますが、まず、ステップ1には、「私たちはアルコールに対し無力であり、思い通りに生きていけなくなったことを認めた」とあります。

言い換えれば、意志を持って、能動的に自分の人生をコントロールしていくという、これまでのライフスタイルから降りることが回復への入り口であるのだと。つま

ＡＡ12のステップ

1 私たちはアルコールに対し無力であり、
思い通りに生きていけなくなっていたことを認めた。

2 自分を超えた大きな力が、
私たちを健康な心に戻してくれると信じるようになった。

3 私たちの意志と生き方を、
自分なりに理解した神の配慮にゆだねる決心をした。

4 恐れずに、徹底して、自分自身の棚卸しを行ない、それを表に作った。

5 神に対し、自分に対し、そしてもう一人の人に対して、
自分の過ちの本質をありのままに認めた。

6 こうした性格上の欠点全部を、
神に取り除いてもらう準備がすべて整った。

7 私たちの短所を取り除いて下さいと、謙虚に神に求めた。

8 私たちが傷つけたすべての人の表を作り、
その人たち全員に進んで埋め合わせをしようとする気持ちになった。

9 その人たちやほかの人を傷つけない限り、
機会あるたびに、その人たちに直接埋め合わせをした。

10 自分自身の棚卸しを続け、間違ったときは直ちにそれを認めた。

11 祈りと黙想を通して、**自分なりに理解した**神との意識的な触れ合いを深め、
神の意志を知ることと、それを実践する力だけを求めた。

12 これらのステップを経た結果、私たちは霊的に目覚め、
このメッセージをアルコホーリクに伝え、
そして私たちのすべてのことにこの原理を実行しようと努力した。

り、彼ら依存症者たちは、能動／受動の対立にしばられることこそが依存症という病の中核にあるという認識と自覚があり、だからこそ、その対立が解体され、中動態的な構えのなかではじめて回復が始まると考え、実践してきた。そんな彼らの長年の経験値から示されたのがこの12ステップだと私は考えています。

これはじつに精密に洗練されたかたちで、人を能動／受動の枠組みから能動／中動への枠組みへ誘うプログラムになっていると思います。ですので、この12ステップを中動態という観点から読み解きたいと私は考えているのです。なぜなら、ステップが進むにつれて、意志とは違うかたちで責任を引き受け直すというプログラムになっているのではないか、という直感があるからです。この「12のステップ」については、今後また別のところでも詳しく触れていくことになると思いますが、そういう意味でも、今日の國分さんのお話は非常に示唆に満ちていて、たいへん勉強になりました。今までは、12ステップを説明するさい、もう一度慎重に再近代化する、とか、再主体化する、などと言うことが多かったのですけれども、本当はもう少し精密に読めるのではないかと改めて感じています。また、先ほど國分さんがお話しされた「義の心」について、これは次に私が考えるべき重要な課題でもある、と受け止めながらお聞きしました。

権力と非自発的同意

熊谷　このようにお話ししてくると、能動、受動の苦しみに対して「中動態」が一つの解決になるのではないか、とどうしても考えがちかと思います。が、ここで一つ、先ほどもご紹介した綾屋紗月さんの研究について付け加えておくべきかと思います。彼女ともこの間、中動態についてさまざまな議論をしてきたのですが、そのなかで綾屋さんが言うには、「中動態を生き続けるのはじつはひどくたいへんなことなんだ」と。どういうことでしょうか。彼女によると、どうも文字どおり、「中動態を生き続ける身体」があるらしいのです。

綾屋さんが書いた「アフォーダンスの配置によって支えられる自己——ある自閉症スペクトラム当事者の視点より」という論文[*20]があります。ちなみに「アフォーダンス」は、『中動態の世界』のなかでは、アレントを論じるなかで國分さんが提案された「非自発的同意」の概念に対応するかと思います。

國分さん、かなりここまで一気に話をしてきてしまいましたが、そろそろいかがでしょう（笑）。

國分　いえ、非常に刺激的なお話ばかりで、本当に途中で邪魔したくなくて（笑）。そのまま続けてください。僕が提案した非自発的同意の問題が絡んでくるわけですね。

熊谷　ええ、そうなんです。國分さんは、『中動態の世界』のなかではこの非自発的同意に関して、カツアゲの例を出されていましたね。

國分　ええ、権力は能動／受動の対立では捉えられないと論じるなかで、一つの極限例としてカツアゲに言及しました。

熊谷　ここで簡単にご説明いただいてよいでしょうか？

國分　はい。じつは僕はカツアゲにあったことがありまして、中学生のときでした。こちらは三人で相手はひとりだったんですが、なぜか僕はお金を手渡したんですね。わざとぶつかってきて、「お前、謝らないのか」と難癖を付けてくるという古典的な手口でした（笑）。

さて、あのとき、僕は脅されてお金を渡したのだから能動的ではありません。「お前が能動的にお金を渡したのだろう」と言われたら、反論します。でも、僕は自分の手でサイフからお金を出して渡しているのです。そう考えると僕は受動的だったとも言い切れない。ここに能動／受動の対立でカツアゲを説明することの難しさがあります。カツアゲされている私は能動とも受動とも言い得るし、能動でも受動でもないとも言い得る。

『中動態の世界』で僕が言ったのは、能動態と中動態の対立ならば、カツアゲ行為を明確に説明することができるということでした。カツアゲしている高校生は能動態です。その高校生の行為は彼の外、つまり中学生の僕たちで完結しているからです。そ

＊20　綾屋紗月「アフォーダンスの配置によって支えられる自己――ある自閉症スペクトラム当事者の視点より」（河野哲也編『知の生態学的転回3　倫理：人類のアフォーダンス』、東京大学出版会、二〇一三年）

してそんな高校生に対して、中学生の僕たちは中動態です。僕らは行為の場になっているからです。

僕はこのようにして中動態の概念をカツアゲの解明に応用しながら、自発性と同意を再定義しました。同意はしばしば自発性と結びつけられます。先ほどお話しした選択と意志の論理とまったく同じです。同意したのだから自発的だったのだろうというわけです。しかし、同意は実際には必ずしも自発性を前提としない。どういうことかというと、カツアゲされた僕は、「金を出せ」という高校生の要求に確かに同意したわけです。お金を渡したわけですから。しかし、僕は自発的にそうしたわけではない。同意はしたが、自発的ではないという行為の様態、これを僕は「非自発的同意」と呼んでみたのです。

ちなみにアレントは権力を同意によって定義しているのですが、その際に、同意を自発的なものと前提しているのです。僕はそれを批判しました。アレントは非自発的同意という様態を無視している。

熊谷　國分さんはそのアレントをフーコーと比較されていましたね。フーコーとアレントはどちらも権力と暴力を区別しているけれども、じつはこれらを違った仕方で整理している。アレントも興味深いですが、私にはフーコーのほうが興味深かった。フーコーの整理では、権力というのは、行為に作用するのだと。それに対して暴力は身体に働きかける。つまり、作用点が違うわけですね。権力は、例えば銃口を突きつけて、脅して他人を動かす。直接、相手の身体に触れないで、行為に影響を与えるわけです。それに対して、暴力は物理的に相手の身体になんらかの影響を与えるような振る舞いです。

ところで、やはり直接的、物理的に相手の身体に触れずに、行為に影響を与えるというものにアフォーダンスというものがあります。アフォーダンスとは何か。簡単にご説明します。

人でも物でもいいのですが、例えば、私がここにいて、目の前にコップがあるとしましょう。その場合、そのコップは私に対して、「持ちますか？」とか、「水を注ぎますか？」、「注いだ水であなたは喉を潤しますか？」とか、いろいろな行為を促してくると考えます。これを、コップは私に対して「持つ」とか、「水を注ぐ」という行為をアフォード（afford「与える、提供」）している、という言い方をします。目の前のコップから手が生えて、無理矢理私の手を持って、水を飲めと物理的に影響を与えているわけではなくて、存在そのものが私にある種の行為を促してくる。人であれ、物であれ、非接触的に相手の行為に影響を与える力をもっている。その力のことをアフォーダンスと呼んでいます。

そう考えると、フーコーの権力観は、とてもアフォーダンス的なのではないか、だから、もしかしたらフーコーの権力論とアフォーダンス理論というのは相性が良いのではないか、などとも思いました。

内臓のアフォーダンス、中動態を生き続ける身体

熊谷　綾屋さんの研究に話を戻しますが、彼女の「アフォーダンスの配置によって支えられる自己」は、タイトルからもわかるように、彼女が当事者研究のなかで、アフォーダンス理論を使って自分の経験を記述したものです。そのなかで綾屋さんはこう

書いています。「私は他の人より意志が立ち上がりにくい」。つまり、「内発的な意志が立ち上がりにくいのだ[*21]」と。どうしてかといえば、彼女の身体の内側からも外側からも大量のアフォーダンスがやって来るからなのだ、と。前回にも空腹感についての綾屋さんのお話を少し紹介しましたが、もう少しご説明しましょう。

例えば、胃袋が、今から何かすぐに食べろとアフォーダンスを与えてくる。そして、目の前にあるたくさんの食べ物は、私を食べろとそれぞれがアフォーダンスを与えてくる。つまり、身体の内側からも外側からも大量のアフォーダンスが彼女のなかに流入してくるけれども、それをいわば民主的に合意形成して、一つの自分の意志としてまとめるまでにすごく時間がかかる、とおっしゃる。

綾屋さんは、多数派が意志と呼ぶものが立ち上がるプロセスを、先行する原因群を切断せずにハイレゾリューション（高解像度）に捉えていると言えるでしょう。また

*21　綾屋紗月、前掲書、一六二頁。

綾屋さんは同書において、「内臓からのアフォーダンス」という新しい表現でアフォーダンス概念を拡張しようとしています。外側からばかりではなく、胃袋をはじめとする内臓からもアフォーダンスが絶えず届けられているのだと。そしてそんな大量のアフォーダンスを擦り合わせる過程を多くの人々は無意識のうちに行っていて、そこではいわば中動態的なプロセスによって意志、あるいは行為が立ち上げられているのだとおっしゃいます。

綾屋さんにとって、このプロセスは無意識どころではありません。彼女はまさに選択や行為を自分に帰属するのではなく、身体内外から非自発的同意を強いられた結果として捉えており、その意味で中動態を生き続けているのだと言えると思います。アフォーダンスが氾濫するなかで、なかなか意志も行為も立ち上がらない。だからこそ、「ゆめゆめ、中動態は生きやすいなどと思うなよ」とおっしゃる。それは当然のことだろうと思います。もしかしたら、中動態が希望か救いのように語られることもあるのかもしれない。しかし、そのように語られる「中動態の世界」の実際とは、アフォーダンスの洪水のなかに身を置くことを意味しているのです。

ここには、人がなぜ、「傷だらけになる」にもかかわらず、能動／受動の世界を求めるのかを考えるヒントがあるのではないか。つまり、「犯人は誰なのだ？」のような、近代的な責任の所在を問うという理由だけで、能動／受動という言語体制が維持されるわけではないのではないだろうか。つまり、ひとりの人間が中動態を生き続けるというのはかなりしんどいことなので、多くの人は無意識にそれを避けるようにできているのではないか。彼女の研究からは、そういうことも示唆されます。

國分　非常に重要なお話ばかりですね。特に最後の話は、なるほどと思いながらお聞きしました。またとりわけ、「内臓からのアフォーダンス」がじつに興味深い。

中動態は救いではない

熊谷　ええ、私も「内臓からのアフォーダンス」という綾屋さんの概念は画期的なものだと思います。

これまでアフォーダンスといえば、皮膚の外側にある「物」に対して言われてきました。徐々に拡張されてはきましたが、やはり、皮膚の外側から来るものだという前提が強固にあります。アフォーダンスは非自己から来ると言われていますが、綾屋さんの研究が面白いのは、内臓も身体も非自己になる点です。皮膚の内側が自己という根拠はないので、理論的にはその方が説得力がある。

國分　そのとおりですね。あと、アフォーダンス理論とフーコーの権力理論が似ているというご指摘は非常に興味深いです。

そして、「中動態は救いではない」についてですが、僕もそう思います。僕が「中動態」という概念を出したのは、自分たちが生きて、そして考えている「この経験の枠組み」そのものを「これが当たり前ではないのだ」と、改めてもう一度捉え直すためです。中動態はものを考えるためのカテゴリーであって、中動態的なるものが良いとか悪いとか、そんなことを判断するつもりはまったくない。ただ、中動態を使ったほうがうまく考えられることがある、というだけのことなのです。

必然的法則と「自由」

國分　そこで大事なのがスピノザです。『中動態の世界』の第八章でも論じていますが、僕は、この部分がなければ、この本は無価値だとすら思っていました。なぜならここでスピノザについて論じなければ、それこそ「中動態が救い」みたいになってしまうからです。序章でもスピノザの話をしていますから、『中動態の世界』は、ある意味ではスピノザ論になっているとも言えます。実際、スピノザ的な「効果」の観点から文法に迫るのがこの本の方法論なのです。

スピノザ自身が中動態に言及しているわけではありません。しかしその哲学は中動態を使ってこの世界を記述しようとしています。それがはっきりと現れているのが「変状する」と翻訳することのできる「afficitur」という動詞です。これは『エチカ』の重要概念である「変状 affectio」の動詞形ですが、ラテン語としては受動態に活用しています。しかし、受動態でこれを理解すると『エチカ』はまったく理解不能なものになってしまうのです。この動詞は中動態をすでに失っていたラテン語においてしばしば用いられていた、受動態の中動態的用法として理解されなければなりません。
じつはスピノザを論じた『中動態の世界』の第八章を書いていたとき、僕はずっと熊谷さんや綾屋さんからお聞きしたいろいろなお話を思い出していたのです。特にこの箇所で用いている「自閉的・内向的な変状の過程」という表現は、お二人のお話を念頭に置きながら思いついたものです。

「たしかにわれわれは外部の原因から刺激を受ける。しかし、この外部の原因がそれだけでわれわれを決定するのではない。この外部の原因はわれわれのなかで afficitur という中動態の意味をもった動詞表現によって指し示される自閉的・内向的な変状の過程を開始するのである」[*22]

この自閉的・内向的な変状の過程を考えると、外部からの影響を受けつつも、その人なりの反応があるということをうまく説明できる。それがその人なりの必然性ということです。そしてその必然性にうまく沿って行為できることこそが、スピノザにとっての自由にほかなりません。

とすると、自由を論じるためには、中動態的なロジックを理解しなければならないということになる。また、中動態のことがわかれば、難解な『エチカ』の自由論がすんなりと受け入れられるものとして現れてくる。僕がこの本の最後にさしかかってどうしてもスピノザを論じたかったのは、どうやったら自分が自由になれるのかを考えたかったからなんです。

熊谷　第八章「中動態と自由の哲学――スピノザ」ですね。ここで國分さんが紹介された、スピノザが『エチカ』で述べた自由の定義、つまり、みずからを貫く必然的な法則に基づいて、その本質を十分に表現するときにこそ人は「自由」である、というものですが、これは当事者研究にも共通する部分があり、やはり非常に興味深かったところです。なぜなら、わけのわからないカオスを生きてきた人にとって、自分の身

＊22　國分功一郎、前掲書、二五一頁。

体や経験のなかに一定の秩序・法則を見出すのが当事者研究だからです。綾屋さんが使われる言葉で言えば「自己感」ということになりますが、自分のパターンを捉えるだけで楽になってその感覚を感じられるという……ですので、國分さんの紹介されたスピノザの自由論は、われわれにとっても非常に重要なものなのです。

逆に、行き過ぎた社会構築主義の文脈で言うと、必然的な自己の法則を社会的文脈で解こうとしたり、またいっぽうで、これもあとで別のかたちでお話ししたいと思うのですが、障害者運動の文脈で言うと、「自分のことばかりにとらわれないで社会に目を向けよう」という社会変化を志向する勢いのなかで自閉的・内向的な変状の過程が置き去りにされたりする。

当事者研究を実践するときの「たたずまい」は、ときに自閉的・内向的な状態に見えるかもしれませんし、研究で社会は変わらないように思われるかもしれません。けれども、外部からの刺激を受けながらも自閉・内向している変状の過程こそが当事者研究の力点が置かれる地点でもあるのです。またその過程以外に社会変革の源などあり得ない。私はそう思っています。

國分　すばらしいスピノザの読み方ですね。熊谷さんのスピノザ読解を聞きながら、今、非常に感動しています。

熊谷　いえ、スピノザに関して國分さんが紹介してくださったこと、本当にありがたく思います。調子に乗ってもう一つ言えば（笑）、序章で述べたように、当事者研究を必要と感じる人たちは、「見えにくい障害」の側にいることが多く、みずからの必然的法則がつかめない状況に置かれていることが多いのです。そういう方たちは、スピノザの語る「自由」を手にしてはじめて社会と向き合うことができ、また社会変革の方向もわかるようになるのだと思います。これまで見過ごされてきたこの段階が、なぜ今、当事者研究で重視されているのか、それをスピノザのこの一節が的確に表してくれているように思います。

コナトゥスと当事者研究

國分　「自由」という言葉をスピノザのように定義した人は他にはいないと思います

ね。これは能動／受動に支配された言語体系のなかにいる限りになかなか理解できない自由概念です。エビデンス・ベーストの発想というか、デカルト的・近代科学的な言語ではうまく理解できないのです。

熊谷　しかし、私たちからすると、逆に非常によくわかるところがあるのです。

國分　ええ。ちなみにミシェル・フーコーは『主体の解釈学』のなかで、一七世紀に真理の地位が変わったと言っています。それまで、真理というものは主体がレベルアップしてはじめて獲得できるものだったものが、それが単なる認識の対象になってしまった。つまり、真理というのは教えてもらえば誰でもわかるものになってしまった。フーコーはそのような真理の出発点をデカルトに見ていて、一七世紀におけるその例外がスピノザだと言っているのです。[*23] スピノザにおいては、真理は自分で体験しなければならない。真理は体験の対象として捉えられているのですね。

熊谷　まさに当事者研究で言うところの「ディスカバリー」ですね。

國分　なるほど。またそれは本来、日常的に僕らが経験していてなんとなくわかっていることでもあると思うんです。でも、今の僕たちの言語がそれに向いていないということがある。僕たちの言語ではスピノザの言っていることがうまく理解できないと言ってもいい。その意味ではスピノザ哲学は当事者研究によって再発見されつつあると言ってもいいかもしれませんね。

熊谷 それはすごい！（笑）

國分 このシンクロは本当にすごいんです（笑）。

話を少し戻しますと、先ほど熊谷さんのお話にあった「民主的」という言葉の使い方も面白かった。皮膚の外部からだけでなく、身体の内部からも高解像度（ハイレゾリューション）でアフォーダンスがやってくるので、これらをうまく民主的に調停できないんだという綾屋さんの経験を説明されたところですね。

綾屋さんはご自身の当事者研究を通じて「アフォーダンスの配置によって支えられ

＊23 ミシェル・フーコー『主体の解釈学――コレージュ・ド・フランス講義1981―1982年度』（ミシェル・フーコー講義集成11、廣瀬浩司・原和之訳、筑摩書房、二〇〇四年、一九～二三頁、三五頁）

る自己」を発見し、それを見事に記述された。これはじつにスピノザ的です。みずからを貫く必然性を、アフォーダンスの配置として捉えているわけですね。

自分のなかにある、あるいは自分が外と接触したときに感じるさまざまなアフォーダンスとのつき合い方は人によって違います。だからこそそれを知る必要がある。それにうまく沿って行為できるようになるとき、人は自由だと言えるでしょう。まさしく必然性と自由が結びつくスピノザ哲学の発想です。

スピノザ哲学とは、中動態的なプロセスを生きている人間が自由になるためにはどうしたらいいのかを考えた哲学だと思います。だから、中動態で生きることがよいというわけではない。その意味で、綾屋さんの指摘はきわめて重要ですね。『中動態の世界』にとってスピノザ哲学が欠かすことのできないものである理由を説明していただいたような気がしてきました。

熊谷　「中動態を楽だと思うなよ」、このことに対する答えが、この章に書かれている。つまり、スピノザの「コナトゥス」という概念についてです。みずからの必然的法則、医療の言葉で言うと「恒常性維持」ということになるかと思いますが、この場合の恒常性というのは、例えば、血糖値は九〇以上、酸素飽和度は九八パーセントないといけないとか、そういうことです。人間の身体は生きている以上なんでもいいわけではなく、ここからここまでの間でなければならないという状態の幅が決まっている。言い換えれば、もともとその人の身体に備わっている「自分はこうではないといけない」と指し示す傾向性のことです。スピノザはそれを「コナトゥス」と呼んでいる。

先ほど、綾屋さんによる当事者研究の話をしたとき、内臓のアフォーダンスも外からのアフォーダンスも等価だという言い方をしました。しかしより正確には、内臓からのアフォーダンスにはコナトゥスが含まれている。いっぽう、外のものからのアフォーダンスにはコナトゥスは含まれていない。内臓からも外からも来るアフォーダンスが等価だというのは興味深いのですが、コナトゥスが含まれているか否かで分けると、そこが大きく違うと思います。

これは、先ほど國分さんが言われた、アフォーダンスをまとめる民主主義的なプロセスということにも関連しています。綾屋さんはアフォーダンスを取捨選択して、それらをまとめるエンジンは、いわば内臓が伝えるコナトゥスではないだろうか、と考えていると思います。彼女自身はコナトゥスという言葉は使っていませんが、内臓のアフォーダンスのなかに必然性を教え指し示してくれる要素のようなものが含まれているのではないかと指摘しているのです。

それにしても、スピノザという人はすごいですね。当事者研究を行うなかで思うのですが、人は、自分の身体がもつ必然的法則をじつはよくわかっていない。特に身体的な少数派、なかでも見えにくい障害をもつ少数派は、自分のコナトゥスがどのようなものか、周りから見えにくいだけでなく、自分にも見えにくい。だから、つい、他の人と同じような行動規範や欲望を自分にインストールしてしまう。けれども、それは自分の規範でも欲望でもないわけです。だから、自分の内側からくるコナトゥスと、外側から強いられる多数派向けの欲望や規範が、自分のなかで衝突して、さまざまな苦悩が生じる。

当事者研究というのは、スピノザの言うコナトゥスを認めて、みずからの必然的な法則を知り、それを表現するプロセス、つまりそれを周囲に可視化するプロセスなのかもしれません。コナトゥス的な自分の必然に従うことが自由なのだというのが、スピノザの自由の定義でしたね。私は、それこそが当事者研究がやろうとしていることと重なるところだと思います。

私のような目に見えやすい障害の場合、コナトゥスもわかりやすい。きっとみなさんにも私の必然的法則がわかりますよね。歩けないだろうなとか、段差がない方がいいだろうなとか。しかし、見えにくい障害というのは、コナトゥスも見えにくい。そのために、独特の付加的な困難があります。当事者研究が、どちらかといえば見えにくい障害の分野で活発なのは、そうした背景があるのだと思います。私にとって、スピノザによる自由の定義は、当事者研究にとってきわめて重要なことを整理するうえで有用であるということ、このことは何度でも強調しておきたいことです。

意志することは憎むことである

國分　熊谷さん、ありがとうございます。ここで少し、依存症の話をしましょう。程度の差こそあれ、基本的に人間は多かれ少なかれ依存症であるというのが僕の仮説ですが、もし人間が生きていることと人間が依存症であるということが同義であるとすると、多くの人が過去をある程度は切断して、自分をある程度否定したいと考えるのは当然かもしれない。それは死にたいということではない。しかし、目を輝かせて自分の存在を全部認めて生きたいというわけでもない。

僕は、『中動態の世界』の第七章でハイデッガーを論じています。ハイデッガーは意志の概念について批判的なのですが、この概念についてすごいことを言っているんですね。三つあります。まず、「意志することは始まりであろうとすることである」。これは先に説明した「無からの創造」としての意志のことですね。興味深いのはそこから導き出される次の命題で、ハイデッガーは意志について、「意志することは忘れようとすることである」というんですね。

熊谷　うーん、本当にすごい人ですね。

國分　ええ、すごいんです（笑）。「意志することは忘れようとすることである」。他の誰がこれを指摘しただろうかと思います。これはつまり、「意志することは考えまいとすることである」という意味でもあります。

最後が、「意志することは憎むことである」。自分が今生きている現在というのはどうにもならない。過去によって規定されてしまっている。このどうにもならない過去を前にして、人はそれに復讐したいという気持ちを抱く。意志はこの復讐の気持ちと切り離せない。

熊谷　「過去を憎む」という表現はすごいですね。シビれます。

國分　ええ、僕も。

熊谷　途中まではある意味で常識的かと思いますが、最後の「憎む」という言葉がただごとでない。

國分　そうですね。ハイデッガーは「覚悟」という言葉を使っていますね。意志と覚悟というのはしばしば混同されるんですが、じつはまったく異なるものです。意志が過去の切断だとしたら、覚悟というのは現在・過去・未来を自分で引き受けるということですね。連続体のなかに身を置くのが覚悟であるわけです。ハイデッガーと意志概念の関係はやや複雑で、彼は『存在と時間』からしばらくは意志概念に惹かれていたように思われます。それがニーチェの読み直しを通じて変わっていく。ハイデッガーのなかで、覚悟と意志がハッキリと分かたれるようになったと言ってもいいのかもしれません。

ともあれ、ハイデッガーは言葉遣いが非常に難しいので、なかなか応用するのが難しいですね。ただ、言葉遣いの難しささえクリアできれば、彼は意外にわかりやすい、日常的なことを話しているんですね。彼の結論には納得できないことも少なくありませんが、中動態とか、意志の批判という議論の文脈に置くと、思いのほかすんなり読める感じがします。

ハイデッガーが当事者研究をやったらどうなるか、ちょっと興味ありますね。「僕、難しい言葉で語る癖があって」（笑）とか、そういうことを告白してしまうのではないか。

熊谷　なんだ、意外と話せる人じゃないか、とか。

國分　意外でもないのかもしれない。ハイデッガーの哲学は本当に面白い。だから余計気をつけないといけないと思っています。安易な解釈を呼び込んでしまうところがあるからです。

「私」と「傷」

國分　それからここで、熊谷さんからすでにご説明のあった、「ヒューマン・フェイト」と「ヒューマン・ネイチャー」のお話について、少しだけ補足しておきたいと思います。

ヒューマン・ネイチャーが「人間の本性」ならば、ヒューマン・フェイトは「人間の運命」とでも訳すことができるもので、僕が作り出した表現です。この概念を提示するにあたって参考にしたのはジャン＝ジャック・ルソーの自然人の概念でした。

ルソーによれば、自然人はいかなる束縛も受けずに自由に生きています。たしかに誰かと一夜を共にすることもあるだろう。しかし、いかなる束縛もなければ、人間はその後、その相手と一緒にいるはずがないとルソーは言います。自由にひとりで生きていき、同じことを繰り返すはずだと。ルソーは家族制度を自然なものだと論じたジョン・ロックを批判してこのようなことを述べました。子どもが生まれるまでには十か月かかるというのに、その間、なんの束縛もない、自然状態における男女が、その間ずっと一緒にいるなどというのは不自然であって、ロックは社会状態における常識を自然状態に投影したにすぎないというわけです。

ルソーが言うことは論理としては筋が通っていると思われます。たしかに自然人というものが存在するとしたら、何ものにも、誰にも拘束されることなく、フラフラと自分の好きなとおりに生きていくでしょう。それはわからなくはない。

しかし、少し立ち止まって考えてみると、どこか納得できないところがあります。というのも、私たちのほとんどは、たとえ自由であろうとも、誰かと一緒にいたいと願うものだからです。たしかに自由なら誰かと一緒にいる必要はない。誰かと一緒にいるというのは面倒なことばかりでしょう。にもかかわらず、私たちが誰かと一緒にいたいと願うのはなぜなのか。ここには大きな謎があります。

ここでヒントになるのは、自然状態が、これまでも存在せず、今も存在しておらず、これからも存在することはない状態であり、したがって、自然人は実際には存在しない虚構的な存在だということです。ルソーはこの虚構的存在を説明することで、社会状態という現実を分析しようとした。自然人が虚構的存在であるというのは、それが純粋な人間本性を具現化しているということです。仮にまったく無傷の純粋な人間本性がこの世に存在として現れ出たとしたら、それはたしかにルソーの言うとおりになるでしょう。

しかし私たちは、絶対に、無傷の純粋な人間本性ではあり得ません。現実のなかで生きることで私たちは多かれ少なかれ必ず傷を負うからです。熊谷さんの言う予測誤差もまた傷の原因でしょう。おなかが空いているのに、すぐには食事が与えられない。そうしたズレだけでも私たちは傷を負います。私たちは傷を負うことを運命づけられている。

傷を負うことが私たちの運命であるとすると、その傷によってもたらされるさまざまな結果・効果は普遍的なものであることになります。つまり、人間が傷を負った存在であることに例外はないわけです。そうすると、傷のもたらす結果・効果はまるで人間の本性であるかのように見える。しかし、もしそれらを混同してしまったら、あとから人間に付与される性質がもともとそこに内在していたことになってしまう。だから、自然人のような虚構を立てて人間の本性を考えると同時に、普遍的に存在するこの世での人間的生のあり方を、人間の運命という概念で考える必要があるのではないか。つるつるのヒューマン・ネイチャーを想定したうえで、ざらざらとした傷だらけの存在にならざるを得ないというわれわれの運命、ヒューマン・フェイトについて考える必要があるのではないか。

ヒューマン・フェイトとして考えられるべき傷が、人をして、誰かと一緒にいたいと感じさせるのではないかというのが私の仮説です。これは精神分析の知見にも依拠したものであって、ある意味ではそれを言い換えたものかもしれませんが、ヒューマン・ネイチャーとヒューマン・フェイトという対で考えることで見えてくるものがあると思って、こういうふうに僕は命名しているんですね。

熊谷　なるほど。改めて整理できました。ありがとうございます。

「サリエンシー」と慣れ

國分　話は少し戻りますが、以前、熊谷さんと予測誤差について議論していたときに、大きなキーワードにしていた概念がありましたね。増補新版の『暇と退屈の倫理学』所収の「傷と運命」でも論じた「サリエンシー」という概念です。英語では「saliency」、もともと、「突起」とか「突起物」という意味です。

熊谷　「顕著性」とも言いますね。

國分　はい。予測誤差をパターンの学習によって減らしていくのは、サリエンシーを減らしていくことと言い換えられます。最初、熊谷さんから聞いたときに、この概念は非常におもしろいな、と思って、それ以降、さんざんこの概念をめぐって議論をしてきました。

けれど、最近は以前のように惹かれなくなっています。それにはいくつか理由があるのですが、一つにはこのサリエンシーについて、「極限状態に慣れるべきだ」というようなニュアンスをどうしても感じてしまうようになったからです。それは僕だけの感想ではないようです。また最近、この概念は軍事研究で注目されていて、極限状態に入った兵士がどのようにしてそれに慣れることができるかという文脈でよく使われるらしいのです。

熊谷　そうですね。私たちが「慣れることができない」部分として注目していたサリエンシーが、むしろ「慣れ」が重要であると強調される文脈で使われているということですよね。

國分　ええ、そうなんです。だからサリエンシーという言葉のせいではないけれど、この言葉が体現している理論的なイメージの背景に何か大きな問題があるかもしれないと思うようになりました。軍事研究の話は僕もつい最近になって知ったのですが、少し違う回路から入らなくてはいけない気がしはじめているんです。

熊谷　どのようにして、このほかならぬ「サリエンシー」という言葉が使われはじめたのかということですよね。

國分　そうなんですよ。

熊谷　私も正直、あまり精査せずにずっと使ってきたのですが、使われ方には慎重であるべきですね。思いもよらないような影響を与えてしまいますから。

國分　ええ。むろん、今も使われている言葉だし、使うのがいけないというわけではない。ただ、さっき熊谷さんが紹介してくださった「予測誤差」にしろ、僕の「退屈」にしろ、良くも悪くも、ある概念が思いもよらなかった領域とつながってしまう可能性もある。だからこそ面白いのかもしれませんが、そういう意味で慎重にやっていかなければ、と改めて考えていたところでした。

統合失調症パラダイムの喪失

國分　慎重に扱わないといけないテーマということでもう一つお話ししますと、『暇と退屈の倫理学』を書いていたとき、自分自身に課していた制限があったんです。それは、精神疾患の話はしないということでした。退屈の問題を扱うならば、そこに足を踏み入れざるを得ないことは感じていました。しかし、それは明らかに僕の手に余るし、現場や臨床を知らない自分が不用意に発言することは倫理的に問題があるとも思っていました。しかし、本を出してみてからわかったのは、僕は実際には退屈の問題を通じながら、結果的には精神疾患の話をしてしまっていたということです。

例えば、ハイデッガーは退屈の三つの形式を区別していますが、最後の一番深い第三形式というのは、「なんとなく退屈だ〔Es ist einem langweilig〕」として説明されています。これはこのような声が心のどこかから聞こえてくるということであり、ほとんど幻聴と言ってよいでしょう。ハイデッガーは、日曜日に大都市の大通りを歩いていると、ふとこの言葉が聞こえるのだと書いていますが、これはすでにかなり危険な状態ではないか。

熊谷　そうですね、これはもう、ぜひ当事者研究をしてほしいところですね。

國分　そうそう。でもハイデッガーはこの退屈の第三形式の体験を決断のチャンスと考えた。彼は決断すればこの声は消えると考えていたと思います。

熊谷　退屈の第一形式ですね。

國分　ええ。僕の解釈では、そうやって決断することで、仕事によってせかされ、日常生活の奴隷となる退屈の第一形式に陥ることになる。しかし、このまま第三形式が深まっていくことも考えられるわけです。世界そのものが途方もなく空虚になってしまう経験です。僕自身はそういう状態を診断もできないし、名前をつけることもできませんが、「なんとなく退屈だ」という状態から戻ってこられなくなるのは、やはりどう考えても当事者研究が必要な状態かと思います。精神疾患には踏み込まないつもりでしたが、実際には期せずして踏み込んでいた。

あの本での僕の目論見というのは、一見したところライトな問題に思える「退屈」を、意図的に哲学的に扱うということでした。しかし、実際には退屈は精神疾患と地続きだった。退屈はライトどころか、ヘビーな問題だったわけです。そういう意味で、退屈を論じるにあたっても慎重さを忘れてはいけないと思うようになりました。もちろんそれはどんなテーマについても言えることなんですが。

熊谷　ただ、『暇と退屈の倫理学』も『中動態の世界』も、一見軽そうに見えるライトな問題からヘビーな問題までを串刺しにしたからこそ、これはすごい、と私は思ったわけです。

國分　ありがとうございます。現代思想の領域で論じられる精神疾患というのは、七〇年代ぐらいからずっと精神分裂病でした。今で言う統合失調症ですね。統合失調症という病を通じて、人間の真理を描き出そうとする「統合失調症パラダイム」のようなものがずっとあったと思います。僕が大学生だった九〇年代半ばに至ってもそうでした。ただ、今はこのパラダイムが失効しつつあるように思える。「統合失調症のような極限にこそ人間の真理がある」という考え方はわからないことはないし、精神分析を通じて精神疾患にはずっと関心を持っていました。けれども、なんというか、もう少し自分たちの日常と地続きの問題からはじめて、そこから深い問題まで考えたいという思いが強くありました。そもそも僕自身が退屈の問題にずっと捕らわれていました。そういう意味では、書いているときはまったく意識していませんでしたが、『暇と退屈の倫理学』という本は、統合失調症パラダイムの失効に応答するものだったのかもしれません。

熊谷　なるほど。非常によくわかります。

國分　『中動態の世界』もそうで、古い言語の文法について非常に細かい議論をしていますが、出発点には僕らが日常的に使う「意志」や「責任」の概念を徹底的に考えたいという気持ちがあった。

あるとき、臨床心理士の方だったと思いますが、「『意志』という言葉を使うなかで、とても不自由さを感じていました」というコメントをくださったことがあります。意志という言葉は僕らの日常に深く根付いているのであって、これに距離を取るのはたいへんなことです。だから古代の言語まで遡るという極端な作業が必要になる。その意味で、日常性と極端なものとの間をいつも考えたいと思っているのかもしれません。

熊谷　なるほど。以前読んだ雑誌のインタビューで、國分さんは「一般医療」の話をされていましたよね。[*24] そのなかで私の印象に残ったのが、風邪とか疲労とか退屈とか、そういうごくありふれた日常的なものに関心があるとおっしゃっていたところです。まずはもう少し素朴な日常性のなかから考えることをはじめよう、という意味ですよね。非常に共感しますし、とても当事者研究的だなと思いました。

最近は、ＡＳＤ、「自閉スペクトラム症」もまた、九〇年代の「統合失調症」と同じように、極端な他者化というか、どうかするとドラマティックなロマン化がされや

＊24　「待ってるだけじゃ『哲学』はやってこない」（哲学者・國分功一郎インタビュー＃1、「文春オンライン」、二〇一七年七月八日、文藝春秋）
https://bunshun.jp/articles/-/3227?page=2

すいのかもしれません。つまり、日常からの地続き感の喪失のようなものが少しずつ起きているのかもしれませんね。

國分　地続き感の喪失、たしかにそうかもしれません。これは引き続きの重要なテーマの一つかと思います。

今日は本編一回めにして、かなり充実したやりとりができたと思います。時間的にもかなり充実したというか、相当オーバーしていますが（笑）、せっかくですので、ここまで聞いてくださったみなさんからのご質問やご意見があれば、ぜひよろしくお願いいたします。

質疑応答

質問1
当事者研究がつらい

――國分さん、熊谷さん、お話、ありがとうございました。

犯罪被害によるトラウマないしはPTSD（心的外傷後ストレス障害）の当事者研究も進みつつありますが、私自身はその当事者でもあります。國分さんの中動態のお話、べてるの家の考え方ととても通底するところがあると思いながら聞いていました。

そして以前、べてるの家のソーシャルワーカー、向谷地生良先生に、PTSDの当事者研究の仕方について質問したところ、やはり、「現象から入りなさい」と言われたことがあります。「『こういうふうに、考えてしまうんです。こういうふうに、なってしまうんです』というふうにみんなに話すといいよ」と。

でも、実際そうやってみんなの前で話すと、罪悪感がすごかった。そんな言い方をしてみんなにどんなふうに思われただろう、ってあとで不安で仕方なくなったんです。だからもうしばらく話すのをやめて、今度は、私の身体の内部の方に視点を向けるようにして、自分の体調とか感情とか感覚の方に向ける作業を続けていったら、今度はものすごく体調が悪くなって、あちこち痛くなってしまって。

かつて自分の身に起きた事件のことを中動態的に考えたり話したりしようとすると、頭がツンと痛くなって、身体がフワッとして、こうジーンと疲れてくる、いわゆる乖離というあまりよくない症状が出てくるような感じもして……そんなときにまた他のある人から、「もう少し客観的に自分のことを表現しなさい」って言われたりすると、今度は記憶の調子のようなものが悪くなったりします。

私は、外部の世界や社会との間にも対立があるのですが、私の身体のなかにも、思い出したい私の身体と、思い出したくない私の身体という対立みたいなものがあるんですね。それで、これはもう、ちょっと当事者研究を続けるのはしんどいなと思っていて、今度からは自分の困りごとを俳句にして披露したり、そういうことをしたいと思っているのです。

けれど同時に、当事者研究をすることが一番効果的だということもわかっているんです。実際、私のこんな困った状況も当事者研究によって少しはよくなっていくということもわかっているんです。いったい私はどうしたらよいでしょう。何かいい方法があったら教えてください。

熊谷　これは、難しいですね。じつは今日、今までの國分さんとのお話のなかで何度かお名前の出た、ダルク女性ハウスの上岡陽江さんが会場にいらしています。まずは上岡さんに助けていただきましょうか。上岡さん、お願いできますか。

上岡　はい、わかりました。こんにちは、ダルク女性ハウスの上岡です。

今の方のお話、本当にたいへんですね。とてもよくわかります。

私、はじめて國分さんにお会いしたとき、「國分さん、記憶とはいったいなんなのでしょうか？」と質問しました。「私はアルコールをやめた瞬間に時間が止まりました。時間ってなぜ流れたり止まったりするんでしょうか?」って聞いたんです。國分さんもお答えに困っていたようでしたが（笑）。

今おっしゃられたように、記憶って、本当に難しい。過去のことを思い出すこと自体がいろいろと難しい。例えば、今の方のお話で言えば、事件からどのぐらい時間が経っているのかわかりませんが、蓋を閉めて現実生活をしたほうがいい時期、さらに、そのことを思い出したほうがいい時期、つまり、蓋を開けはじめていい時期があるんです。

それから、事件の被害者の記憶と加害者の記憶って、じつはぜんぜん違うのだと思います。加害者についても、自分の加害経験を言語化するのに何年かかるのか、あるいはそもそも言語化できるのか。いずれにしても時間がかかるわけです。でも最近、加害者が事件後、たいして時間が経っていないときにメディアのインタビューに答えたり、本人の手記のようなものが発表されたりしますよね。そのときの言語というのはいったいなんなのだろう、と熊谷さんたちとよく話してもいます。

ですから、今質問されたあなたが、とてもつらい時間のなか、あなたのなかに起きているることがあなた自身の言葉になってくるのは、やはりとても時間がかかるんですね。それはさっきも言ったように、記憶を言語化したほうがいい時期と、それにまったく蓋をしてしまって、日常を生きることのみを何年かしたほうがいい時期がある。だから、もし今しんどいんだとしたら、当事者研究だろうとなんだろうと、そこに無理に手を入れないほうがいい。どのくらいの時間が必要なのかといえば、おおまかに言うと、一〇年ぐらいの経過のなかでというような感じです。どうか無理しないでくださいね。

――わかりました。どうもありがとうございました。

國分　上岡さん、どうもありがとうございました。

今のご質問、そして経験を踏まえた上岡さんのお話は、とても重要なものだと僕は思いますので、ご質問や上岡さんのアドバイスを尊重したうえで、少し補足させてください。

このあいだ熊谷さんと、べてるの家の向谷地生良さんが当事者研究をするときの言葉遣いについて、ちょうど話をしたところでした。僕にとって興味深かったのは、今質問してくださった方も言及された、現象から入るという語り方ですね。例えば、どうしても放火をしてしまう人がいる。その本人が「放火してしまったんです」と言ったときに、向谷地さんは「ああ、放火現象が起こったんですね」と言い換える、と。

これは『中動態の世界』の用語で言い換えると、行為者を確定する言語から、出来事を描写する言語へと遡る言い換えですね。いわば、今日僕がご説明したような古い言語を使っている。僕は言語の歴史を遡りながら、今の言語とは異なる言語を見出していったわけですが、向谷地さんは当事者研究の実践のなかでそれをやっていらっしゃる。しかも驚くべきは、そうやって一度免責することによって、本人が実際に自分のしたことの責任を引き受けられるようになるということです。古い言語が明らかに助けになるわけです。

熊谷　当事者研究の方法、特に、べてるの家が発明したともいえる「外在化」という方法ですね。ひとことで言うと、「人と問題を切り離す」ことですよね。前回お話ししたように、当事者研究の始まりでもあります。能動／受動の態で記述される尋問の言語ではなく、「なぜ火をつけてしまうんだろう？　そんな自分を研究してみよう！」と。まさに、「中動態」への招待です。

ただ、能動／受動に支配されている習慣は、頭にも身体にも浸み込んでいますから、なかなかうまくいきません。そこで、向谷地さんはそのように絶妙な言い換えを示すわけです。上岡さんも同様に、外在化へと誘導する工夫、言い換えれば「中動態の世界」へ誘い出す仕掛けをいろいろなかたちで張り巡らせています。ここが『中動態の世界』と当事者研究との重要な合流ポイントであり、ファシリテーション側から見た中動態の意義です。もちろん向谷地さんも上岡さんも、過去に対して、ナイーヴに「振り返らせ」たりは絶対しない。先ほどの言い換えもそうですが、すごく考えられた振り返り方をしている。そのあたりはやはり現場での蓄積がなければ、おいそれとはできません。

いっぽう、当事者の側に目をやると、研究すればするほど具合が悪くなる人と、だんだん元気になってくる人がいます。上岡さんが先ほど少し言われたように、まず

「現在」の状況を安全なものと感じられるようになってはじめて、時間軸上に自分が今立っている原点が生じ、過去と未来ができあがる。安全な現在に両足を着地させながら過去を振り返ることができてはじめて、過去に飲み込まれず距離を置きながら思い出すことができるのです。距離がない対象は、言葉になりません。現在が安全ではない状況で、言い換えると時間軸上に原点がない状態で過去を不用意に思い返せば、過去形として思い出すのではなく、記憶が現在形となってフラッシュバック、タイムスリップが起きてしまう。そうした、まず現在、そして過去、という順序が重要なのはもちろん、自分の過去や経験を振り返る形式に個人差があることもわかってきています。

自分を振り返る自己参照の仕方には二種類あって、一つが「反芻（rumination）」。草食動物が食べた草を吐き戻してまたすぐモグモグするように、フラッシュバックした記憶を、尋問の文法で再解釈して飲み込んでしまおうとするスタイルです。もう一つが「省察（reflection）」で、好奇心を掻き立てる研究対象となるような有意味性をもった出来事として過去を思い出すスタイルです。おおざっぱに言うと、前者は具合が悪くなりがちな自己参照形式で、後者は元気になる自己参照形式だと報告されています。後者はべてるの家方式に近いですね。

國分　なるほど。それはまた非常に重要な報告ですね。

熊谷　ええ。『中動態の世界』より以前は、自己参照形式の違いをこのような心理学の概念を使って理解してきたのですが、ご著書を読んで以降は、能動／受動の形式で過去の出来事を思い出すことを「反芻」、中動態の形式で「自分において生起した現象」として過去の出来事を思い出すことを「省察」として考えるようになりました。思いのほか、すっきりします。

國分　なるほど。その差異はわかりますし、「反芻」はイメージできるのですが、「省察」とは実際、どんなかたちになるのでしょうか？

熊谷　「ユーモア」に近いかもしれませんね。出来事から距離を置きながら、自分が自分の苦労を語るというたたずまいから伝わるような語りの形式は、共感を誘うしっとりとしたおかしみを伴っているように感じられるのです。

私は、ずっと向谷地さんや上岡さんのファシリテーションをどうやって分析しようかと考えてきました。今回、國分さんとお話しして、改めて、「態」に注目してみよう、と思いました。向谷地さんや上岡さんが当事者に声掛けする言葉の「態」です。先ほど質問してくださった方のお話、上岡さんのお話、そして今日の國分さんのお話からは、きわめて大きなヒントをいただいたと思います。

質問2
中動態の消滅と釈迦の誕生は関係あるのでは？

――「中動態」と「仏教」の関係についておうかがいします。釈迦の生誕がやはり紀元前五世紀頃です。「中動態」が消滅したこのあたりで、「意志」の概念が発生したとすると、その救済のために、仏教が「中動態」に戻ろうというようなかたちで起きたのではないか。般若心経でも「無色無受想行識」というかたちで、「意志」を基本的には否定しています。明治には浄土真宗が「無限責任」という概念で、それをまた救済しています。先生は、仏教と中動態については、どう思われますか？

國分　ありがとうございます。僕は仏教はわかりません。本当はサンスクリット語もやらなくてはいけなかったと思うのですが、やりませんでした。サンスクリット語には、もっと純粋に能動態と中動態の対立が残っているようですね。

ただ、少しだけ考えるところを付け加えさせてください。中動態の話を聞くと、「日本的だ」「東洋的だ」という感想を抱く人がいるかもしれません。けれども「中動態」はインド＝ヨーロッパ語を遡って得られたものです。ヨーロッパあるいは「西洋的なもの」の起源とみられているもののなかに見出されるわけです。そもそもギリシアまで遡ると西洋対東洋という図式は意味をなしません。僕が使っていたギリシア語の教科書はフランスのものでしたが、そこにはアポロンが象徴する太陽への信仰は、日本にも見られると書いてありました。ギリシアはアジアとつながっているし、非常にアジア的なのでしょう。

日本語は中動態を留めていると『中動態の世界』には書きました。これは何を意味するかというと、ヨーロッパの言語はもともと有していた中動態を言語上のある種の革命によって廃棄してしまったが、日本語はそのような革命を経なかったので革命以前のカテゴリーを保持しているということです。日本が特殊なのではなくて、むしろヨーロッパの方が特殊な革命を行い、現在はその伝統に悩まされているとでも言った方がいいのかもしれません。こういう見方で世界史を眺めると、少し違って見えてくるかもしれませんね。

あと、仏教的な見方はさして特別なものではないとも僕は考えていて、例えば、意志や責任について考えるならばあらゆる事象がつながっているということはすぐにわかるわけですね。仏教的な認識はその意味では実に自然なものに思えますし、ライプニッツやスピノザの考え方もそれに近い。すると、仏教の方からそこに向かってもいいし、別のところからそこに向かってもいいことになる。

僕は「西洋哲学」と呼ばれているものをやっているので、そこから考えているわけですけれども、あえて仏教とか「東洋」とは言わないようにしています。「西洋」と呼ばれているもののなかに、それを脱構築するような契機を見出すことが最終的にインパクトをもつと思うからなんです。もちろん仏教にも関心はあるんですが、それは僕にとっては近道でありすぎるというか……。あえて遠回りすることで、現在支配的な考え方を揺るがしたいという強い思いがあるんですね。期待されたお答えと違っていたら、ごめんなさい。

――いいえ、なるほど。ありがとうございました。

質問3
能動・受動・中動と医学の歴史について

――私は医学の歴史の研究をしています。今の能動／受動の対立と、能動／中動の対立の話をお聞きしながら、医学も同じように歩んできたんだな、と考えていました。近代医学の特徴は、感染症とか悪性腫瘍とか、身体のなかに明確に悪者を想定する。その悪者が病気を起こすわけです。そして、その悪は抗生物質や手術で除去できる、と考えます。ところが、近代以前の時代は、バランスが悪くなると自然に病気が起こると考えていた。例えば、肝臓と腎臓のバランスが悪いとか、脾臓と腎臓のバランスが悪い、とかですね。こういうものは除去できないわけで、まさに中動態の話だな、と思って、とても興味深く感じます。

ただ、西洋医学が発展したことで、それまでには治らなかった病気を治すことができるようになったのと同じように、能動／受動という言語体制も、今まで言い表せなかったことが言い表せるようになったわけです。同様に、近代国家が成立するにしても、それが出てくるのは何かいいことがあるからではないか。それでわれわれの生活が成り立っているということもある、でも、そこでわれわれが生きていくなかで非常に苦しいこともすでに出てきているという両面があるのではないか。だから単に「中動態」が善である、救いであるというふうに考えるのは、あたかも自然医療とか漢方医療が全部直してくれると考えるのと同じで、ちょっと危ない考え方ではないのかな、と思いました。

國分　おっしゃるとおりですね。当たり前だと思っている自分の図式を一度外してみる、あるいはそういった枠組みから距離を取ることこそが大切であって、中動態が救いということではありません。それは『中動態の世界』を貫く僕のメッセージです。

今、医療のお話をしていただきましたが、いろいろな領域の方から中動態への関心をお伝えいただいています。特に身体系のお仕事の方からがとても多くて、ダンスとか、看護・介護。あと意外なところでは建築。建築家とクライアントの関係も、能動／受動ではうまくいかないというわけです。

あまり広まると流行語になってしまって、誤解されることもあるでしょう。ただ、ある言葉が行きわたるためにはそれが誤解されなければならないという考え方を聞いたこともあって、それには一理あるとも思っています。みなさんに読んでもらって、少しでも「こういう考え方があるんだな」と思ってもらえたら、そして身近な何かに役立てていただけたら嬉しく思います。

では次回に続けていきたいと思います。熊谷さん、みなさん、引き続き、どうぞよろしくお願いいたします。

熊谷　長い時間ありがとうございました。こちらこそ、次回もどうぞよろしくお願いいたします。

第二章

中動態と「主体」の生成

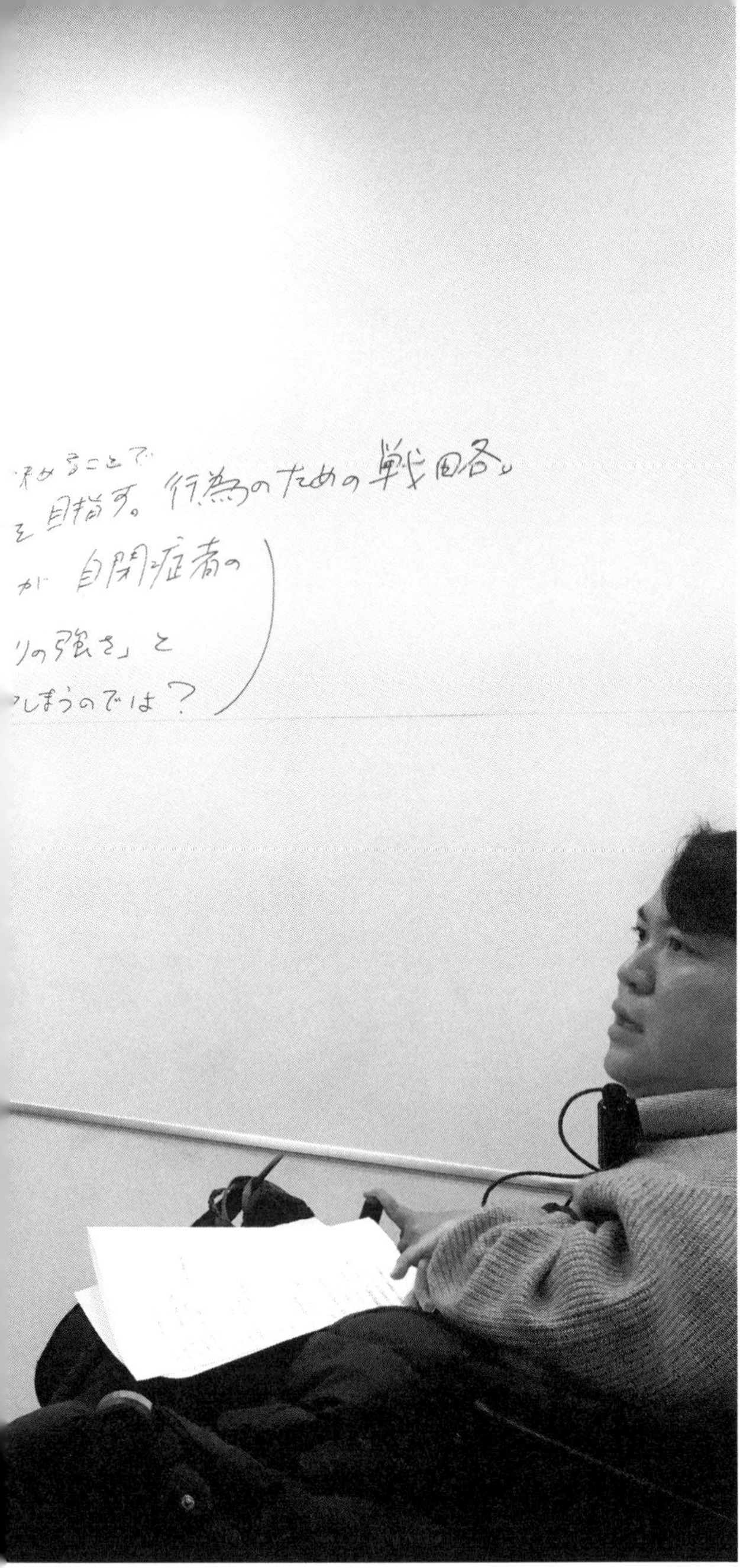
を目指す。行為のための戦略。
が 自閉症者の
りの強さ」と
しまうのでは？

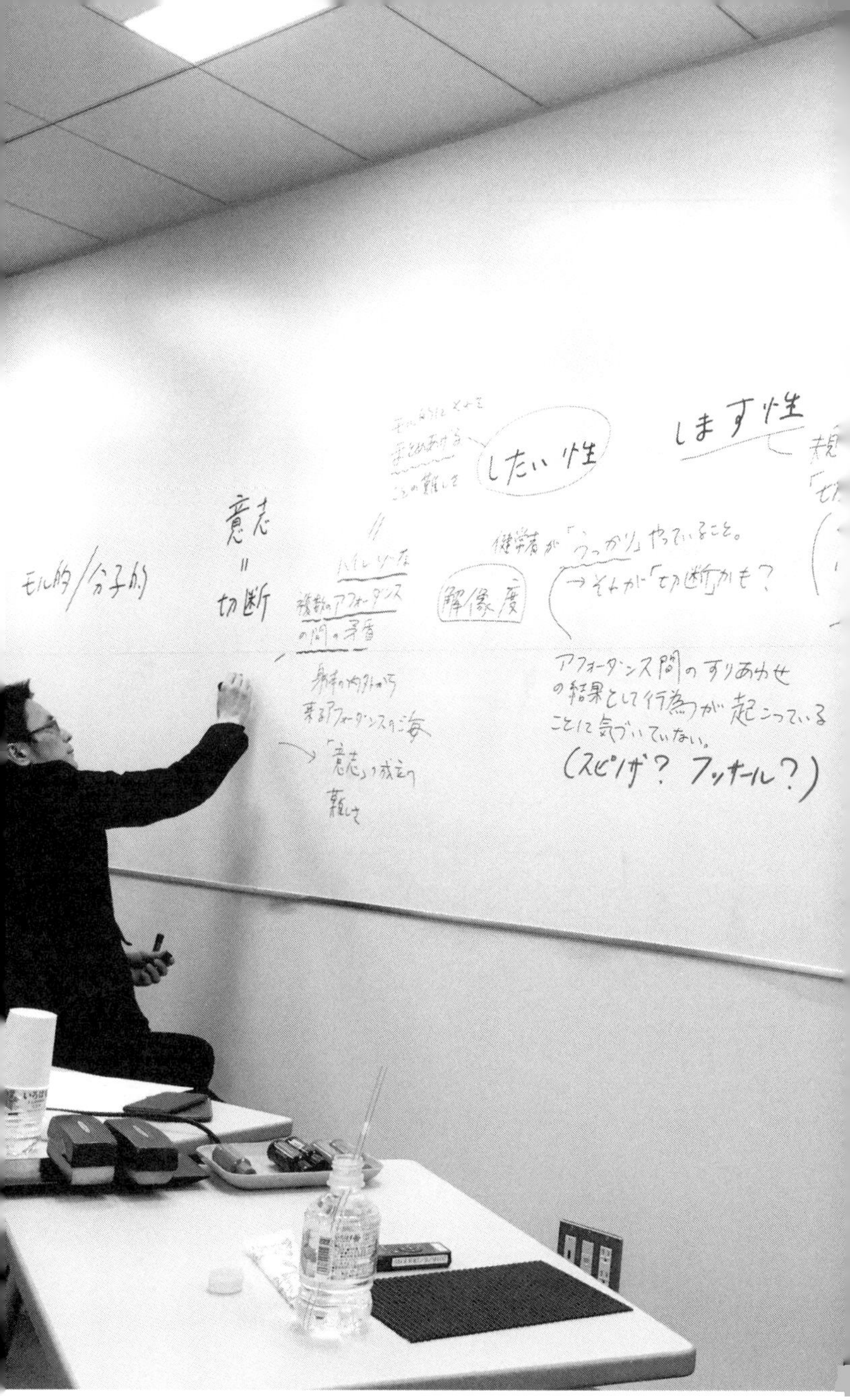
したい性
します性
意志
=
切断
モル的/分子的
ハイレゾな
複数のアフォーダンスの間の矛盾
身体の内外から来るアフォーダンスの海
→「意志」の成立の難しさ
解像度
健常者が「うっかり」やっていること。
→それが「切断」かも？
アフォーダンス間のすりあわせの結果として行為が起こっていることに気づいていない。

（スピノザ？ フッサール？）

意志とは切断である

國分　熊谷さん、みなさん、本日もどうぞよろしくお願いいたします。

前回、熊谷さんが非常に興味深い指摘をしてくださいました。『中動態の世界』という本は、ある意味で、切断という考え方そのものを批判しているのではないかということです。たしかにそうかもしれません。今の世の中は、切断という考え方に強く捕われている。それはとても居心地が悪い。「自己責任」などは脅迫的な切断の強要ではないか。

『中動態の世界』のなかでは、中動態という古い言葉を扱っていますが、単にその言葉や概念を説明しているだけではありません。中心となるテーマの一つは「意志」です。このテーマを立てる際に気になっていたのは、僕の専門であるスピノザ哲学でした。スピノザは「自由なる意志というものは存在しない」と言った。僕はスピノザのの研究をはじめてからずっと、その意味がよくわからなかった。「意志の自由を否定したら、人間はロボットのようなものだということになってしまうのではないか」と考えていたからです。しかし、書き進めていくうちに、意志の自由を否定することと、自由を否定することは無関係であることがわかってきました。

そしてそのことに思い至るためのヒントが、意志とは切断である、という考えだったのです。ハンナ・アレントを読みながら得られたこの考えは、僕にとって非常に大きな発見でした。人間が自由意志で何かを為していると思うのは、その人の意志が行為の純粋な出発点になっていると考えることです。前回もお話ししましたが、行為に連なる原因の系列は本当はいくらでも遡ることができる。にもかかわらず、われわれは意志が行為を実現しているという考えのもとで、その系列を切断してしまう。

意志はいくらでも遡ることのできる因果関係を切断して、行為の出発点を作り出す。では、どうしてそのような考え方が出てきたのか。社会的な責任の問題がそこに絡んでいるだろうということが僕の仮説でした。意志が行為の出発点であるなら、意志の概念を使うことで、ある行為を誰かに帰属させることができる。行為を私有物にすることができる。それによってその所有者に行為の責任を負わせるわけです。

これが、『中動態の世界』で中心的に論じた意志と切断の概念ですが、熊谷さんとお話をしていくなかで、これらの概念はじつは応用範囲が広いことがわかってきました。

意思決定支援と欲望形成支援

國分　前回も少し触れましたが、『中動態の世界』のなかで意志についてのハイデッガーの言葉を引いています。ハイデッガーによれば、意志するとは、「考えまいとすること」、「忘れようとすること」、そして「憎むこと」である。ハイデッガーがそのように述べるのは、意志を切断と捉えているからです。
過去を眺めることなく、未来だけを見つめて、「未来を自分の手で作るぞ」というのが意志だ、と。それは過去を自分から切り離そうとすることです。ハイデッガーによれば、そうしている限り、人はものを考えることから最も遠いところにいることになる。人間は必ず時間のなかに、歴史のなかにいるのであって、そこから目を背けている限り、ものを考えることなどできないからです。
ある種の憎しみの感情が意志と結びついているという指摘も気になります。過去はもはやどうにもならない。意志はこの「どうにもならなさ」を生み出している過去を切り離そうとする。でも、切り離せるはずがない。だからそれを憎む。

熊谷　ハイデッガー、本当にすごいこと言いますよね。
國分さんとのやりとりがあって、今回、ハンナ・アレントを読めたことも非常に勉強になっています。アレントが意志について述べていることを定式化して國分さんが述べられた「過去から切断された絶対的な始まりとしての未来」という一文を読んだときに、最近カウンセリングや臨床心理学の世界で「希望志向」といった言葉をよく耳にすることを思い出して……

國分　「希望志向」？

熊谷　本当はさまざまな深い意味がある言葉なのですが、現場では、過去を振り返らずに脇に置いて「未来に向かって考えよう」という軽薄な言説資源として使われてしまうことも少なくありません。精神分析へのある種のアレルギーかもしれませんが、危うい部分を含んでいるのでは、と私は少し危惧しています。

國分　なるほど、現場にはそういう問題があるわけですね。

熊谷　ええ。当事者研究も、下手すれば自己啓発のオプションの一つとしてカジュアルに受容されかねないところもあります。

國分　自己啓発はどこか言語の軽視と結びついている気がします。当事者研究は逆であって、言語が重要なキーになっている。

ところで『中動態の世界』の巻頭に、依存症の人との架空対談を載せているんですが……。

熊谷　ダルク女性ハウスの上岡陽江さんに、少し言うことが似ている……（笑）

國分　ええ（笑）。あの架空対談は上岡さんとの会話を思い出しながら、切断と言語をテーマに僕が構成したものです。

依存症も過去の切断という問題と切り離せませんね。多くの場合、アルコールや薬物の依存症に悩む人は、忘れたくても忘れられない記憶に苦しんでいる。例えば幼い頃の虐待の記憶とか、思い出すだけで苦しくなる記憶です。だから思い出したくないし、なんとかして忘れたい。でも忘れられない。だから、過去を切るために意志ではないものを使う。薬物やアルコールが過去を思い出さないことに、つまり過去を切断することに役立つ。でも逆から考えると、僕は意志の概念こそ「薬物的」なのではないかと思うわけです。

熊谷　なるほど、逆だと。たしかにそれはそうだ。

國分　意志にも薬物のような効果がある。「未来志向」というのは非常にライトなかたちで世の中に浸透しているとも言えますよね。子どもたちに対しても、「未来の夢に向かって羽ばたこう」とかそういうことばかりが言われている。何か思い出したくない過去をみんなで必死に無視しようとしているようにも見えます。過去を忘れ、目を輝かせて、微笑みながら未来の夢に向かってジャンプしていく。それはハイデッガー的に言えば、「考えるな、考えるな」と言っているに等しい。

熊谷　そうですね。また私の知る世界で、こんなことがあります。

例えば、「意思決定支援」[*25]というプロセスのなかで、知的障害とされる方が執拗に、

「オレンジジュースとウーロン茶、どちらが飲みたい？」と支援者に聞かれる場面に遭遇します。

國分　そうやって「決定」を相手任せにすることにどういう意味があるんだろう。

熊谷　もちろん支援者の一部ですが、実際にそういった現場に立ち会ったことがあります。そもそもオレンジジュースかウーロン茶かというのは「意思決定」でもなんでもなく、単なる選択であるわけです。「意思決定」という概念を無批判に受け入れたままだと、簡単にこんなことになりかねない。では「意思決定支援」とはどのようであるべきなのか。まだうまく考えられていませんが、そういった最前線の支援のあるべき姿を記述し得るポテンシャルを、スピノザの自由意志の否定と自由の定義は併せ持っていると直感しています。

國分　「意思決定支援」という考え方については、僕もいろいろと思うところがあります。順に説明します。まずこのような考え方が出てきた背景には、患者あるいは被支援者がこれまで治療・支援における決定プロセスから排除されてきたということがある。自己決定権、あるいは、この連続講演の冒頭で述べたように「主権」と言ってもよいかもしれませんが、それが無視されてきた。パターナリズムという言葉でこれを説明してもいいでしょう。パターナリズムがもたらした排除への反省から「意思決定支援」という考え方が出てきたことはよくわかります。その意味ではこうした考え方が出てきたこと自体はまずは歓迎しなければならない。

しかし、現在の僕らの考え方を支配している意志の概念や、僕らが使っている言語といったものが、この排除への反省に制限を加えてしまったことを指摘しなければなりません。それ以外のオプションが概念として与えられていなかったのだから仕方ないのかもしれませんが、この反省は結局、意志の概念に寄りかかるものとなってしまった。その結果、どうなっているかというと、「意思決定支援」は、限りなく、治療する側や支援する側の責任回避の論理に近づいてしまっている。

これはインフォームドコンセントの問題に非常に似ています。「これこれの治療方

＊25　「意思決定支援」の場合は「意思」と表記されることが多い。ここでは「意志」と同じ意味でこの言葉を使っている。

法があります。それを選択するあなたの意志をわれわれは尊重します。どうぞ選んでください」。そう言われたところで、例えばがん患者が治療方法を選べるだろうか。個人の意志を最大限尊重するというのは聞こえはいいのですが、これは多くの場合、個人の意志を神聖視して、それ以上遡ることも、それ以外のことを考えることもない単純なリベラリズムに繋がってしまいます。アメリカでもインフォームドコンセントが医者の訴訟逃れの手段になっていることが指摘されています。

つまり、パターナリズムによる患者・被支援者の決定プロセスからの排除はたしかに大問題である。しかし、だからといって、「意思決定支援」、「インフォームドコンセント」と言うだけでは、相手に責任をなすり付けることにしかならない。つまり、別の回路が必要です。そしてその別の回路は意志の概念や現在の言語によって非常に見えにくくなってしまっている。

僕は決定的な答えを持っているわけではないのですが、「意思決定支援」という言葉に代えて、「欲望形成支援」という言葉をもってくることを提案しています。意志（意思）ではなくて欲望。決定ではなくて形成です。人は自分がどうしたいのかなどハッキリとはわかりません。人は自分が何を欲望しているのか自分ではわからないし、矛盾した願いを抱えていることも珍しくない。だから、欲望を医師や支援者と共同で形成していくことが重要ではないか。

「欲望形成支援」も中動態の考えに基づいています。中動態の概念によって、個人の意思決定という考え方の危うさがわかるわけですが、だとすれば、そこから出てくるのは、個人ではなくて集団、意思決定のような切断ではなくて、過去との連続体のなかにある欲望の形成の重要性ということになります。

もちろん、「欲望形成支援」はただ概念がモットーとしてあるだけですが、実際にはそのようなことを行っている方々がいらっしゃるはずです。また、医療に携わる方々の前でこの言葉を出すと、「ああ、そう言えばよかったのか」とか「そういう言葉が欲しかった」という感想をよくいただきます。僕としては言葉がないために埋もれてしまっている実践を掘り出して、見えるようにすることに、この概念が役にたてばよいと思って、よく口にしているんです。

熊谷　選択や行為に先立つ原因群を切断させるような「意志」の支援ではなく、原因群のすり合わせ過程に伴走して、「〜したい」が形成されていくのを支援するイメージですね。前回お話しした綾屋さんの論文「アフォーダンスの配置によって支えられる自己」の記述も思い出されます。

「モル的」と「分子的」

國分　欲望形成支援の概念を思いついた背景の一つに、綾屋さんの当事者研究の成果を知ったことがあります。綾屋さんは自分を取り巻く環境や過去の記憶から、膨大な情報が送られてきて、行為がまとまらないとおっしゃっていますね。例に挙げられているのが、前回も取り上げた「空腹」です。

僕らは、おなかが空いているのだということをいろいろな情報あるいは刺激で知るわけです。僕はおなかが空くとよく気持ちが悪くなります。今朝も少し気持ち悪かった。一瞬、「風邪かな?」と思ったりもする。腹の音が鳴るとか、脇腹が痛くなるというのもある。空腹といっても、それを告げるサインは多種多様であり、その多種多様なサインをまとめ上げるかたちで「空腹感」は存在する。

ところが、綾屋さんはそのようなまとめ上げがなかなかできないとおっしゃっています。多種多様なサインをいわば非常に高い解像度で受け取ってしまっているから、それぞれが無関係に思えると言ってもいいかもしれません。まとめ上げるとは、異質なものを同質のものとして扱うということです。綾屋さんはそれができない。異質なものを異質なまま保持してしまう。

ドゥルーズとガタリが「分子的」と「モル的」という言葉を使っています。[*26] 複数の異質な要素がバラバラなままの状態を「分子的」と言い、その異質でバラバラな分子をまとめ上げることで現れる状態を「モル的」と言います。例えば、空腹感というのはとてもモル的です。大量の情報を十把一絡げにまとめ上げることで得られるものだからです。

*26　ジル・ドゥルーズ＋フェリックス・ガタリ『千のプラトー――資本主義と分裂症』（宇野邦一他訳、河出文庫、二〇一〇年）

欲望は分子的なものです。実際には数え切れないほどの要素がうごめいている。僕らはそれをモル的に把握することでなんとか生活している。しかし重大な決定に関しては、そう簡単にモル的な把握はできない。だからこそ、集団で、助け合いながら、モル的な把握を目指すことが必要ではないか。それに対し、「意思決定支援」というのは、単に要素を切り捨てる方向に向かわざるを得ない。決定と矛盾する要素は切断して無視するという感じです。だから、この言葉はどこか冷たい感じがするのです。

熊谷 先ほどの國分さんの整理で言うと、多くの人がモル的に処理しているものを、綾屋さんは分子的に処理しているわけです。綾屋さんと私は二〇〇七年から共同研究をしていますが、前々回にご紹介した二〇〇八年の最初の著作『発達障害当事者研究――ゆっくりていねいにつながりたい』からずっと、彼女は一貫して「分子的」と「モル的」のズレについて書いていると言えるでしょう。

自閉症というのは、コミュニケーション障害が根本にあるのだとよく言われますし、すでにお話ししたように、診断基準としてそう書かれている。でも、少なくとも綾屋さんの場合はそうではない。多くの人がモル的な処理をしているところで、彼女はずっと分子的な処理を行っている。そのズレが、コミュニケーションの行き違いにつながるのです。

どういうことか。モル的に処理している人同士であれば、コミュニケーションがうまくいくこともある。またその反対に、分子的に処理している人同士でも、コミュニケーションがうまくいくことがあり得る。ということは、どう考えても、コミュニケーション障害が自閉症の根本にあるとは言えないでしょう。単に、処理の仕方の違い、あるいは処理する対象としての粒の大きさの違いにすぎないのではないか。粒の大きさの話は、本日のちほどお話しする「図式化」というキーワードとも関係してくると思います。

「したい性」と「しますす性」、「うっかり」の効用

熊谷　今日のまず最初のテーマ「切断」に関して、綾屋さんの『発達障害当事者研究』ではどんなことが語られているのか、ここで改めてご説明しましょう。

この本の最初のほうで、「したい性」という造語が出てきます。何々がしたい、というときの「したい」です。そして、「したい性」は「します性」という言葉と対比して使われます。

「します」も、「したい」も、どちらも「意志」というカテゴリーに含まれるかもしれません。何かをする、したいと思う。そしてその意志が立ち上がったあとに、実際に行う。おそらく、多くの人が「意志」と呼んでいるものを、綾屋さんはハイレゾリューション（高解像度）で記述します。

簡単に言うと、意志とは皮膚の内側からやってくる数多の情報と、皮膚の外側から入ってくる数多の情報を無理やりまとめ上げたものだというのが綾屋さんのモデルです。意識に残っているかどうかはともかく、私たちは内側からも外側からもたくさんの情報を得つづけています。例えば、胃袋が今ギュッと鳴ったとか、心臓がドキッとしたとか、息がハアハアと少し荒くなったとか、これらは皮膚の内側からの情報です。それに対して、目の前にコップがあるとか、おいしそうなカツ丼があるとか、外から入ってくる情報もたくさんあります。

そして、内側からの情報も外側からの情報も、単に情報としてあるわけでなく、こちらに向けて、さまざまな行為を促してきます。前回も少しご説明しましたが、このような行為を促してくる情報を、アフォーダンスと言います。それらの情報は内側からも外側からも自分の行為をせき立てるものとして入ってくる。そのときに、各々の情報が同じ行為をせき立ててくれていればいいのですが、そうとは限らない。互いに矛盾する場合もある。胃袋が「何かがっつりしたものを食べたい」と主張してくる。でも喉は「さっぱり飲み込みやすいものがほしい」と促してくる。そして目の前にはトンカツしかない。さて、どうする？

そんなふうに、内側からも外側からも流れ込んでくる大量の分子的なアフォーダンスはしばしばお互いに、矛盾する。綾屋さんは、その矛盾した情報あるいはアフォーダンスの海のなかにいるようなものだと思います。そうすると、「こうしたい」という意志がなかなかまとめ上がらない。つまり、モル的な「意志」が立ち上がっていくそのプロセスが、非常にゆっくりとしているわけです。立ち上がらないわけではないが、時間がかかる。

例えば、何か食べたいという「したい性」が立ち上がるまでに、丸二食、食事を抜くことになってしまって、ようやくそれが立ち上がったときには、比喩ではなく、空腹感で倒れる寸前だったりするんだと。これは、國分さんが分子的、モル的と説明されたことを、アフォーダンス、意志で記述し直したと言えるのではないでしょうか。「でも考えてみると」と、彼女は言います。いわゆる、健常者と言われている人たちが、「あまりにも、うっかりしているんじゃないか」。すぐに意志をまとめ上げてしまっているように見える、と。「空腹感って、そんなに簡単にまとめ上がるの？」と疑問を提起しています。

もしかしたら、ここで言われている「うっかり」ということこそが、「切断」の別名なのかもしれません。いわゆる健常者は、あえて切断しているわけではなく、うっかり、つまり意識しないうちに情報の一部を切断している。実際は、きわめて大量の、かつお互い矛盾するようなアフォーダンスがあるわけですが、いつのまにかそれが取捨選択され、まとめ上げられて、モル的な意志が生成されている。しかしいっぽうで、ある人々にとっては、その生成は容易なことではなく、そのことにとても時間がかかってしまうということです。

もう一つの「します性」について説明しましょう。これがいわば、綾屋さんの「切断戦略」なのですが、自分の内側からの情報や外側からの情報を切断するために、規則を決めておく。例えば、何曜日の何時何分からは、身体がなんと言おうと、状況がどうだろうと、決めたことをすることに「します」。それを「意志」と呼ぶかどうかはともかくとして、規則によって身体内外のアフォーダンスを切断して、とにかく、行為を選択する。「したい性」がなかなかまとめ上がらないことの代わりに、自分で規則を設けて、そのとおりに自分を動かす。これを「します性」という言葉で表しています。

自閉症の人に対して、「こだわりが強い」と言われることがよくあります。しかし、それは、もしかすると、この「します性」で動くことに対して言われているのかもしれない。そして、「します性」で決めたとおりにことが運ばなかったときには、ご本人は非常に混乱しやすいのです。それらに対して、健常といわれる人が、「こだわりが強い」と記述しているだけなのではないか。全員ではないかもしれませんが、自閉症と呼ばれている人たちのなかにそのような傾向があるのではないか。

先ほど國分さんがおっしゃられたことに重ねると、自閉症と呼ばれる人々のなかに、身体内外から入ってくる大量の分子的なアフォーダンスが意識に上ってしまう場合がある。これはある意味で、切断が起きておらず、意志が立ち上がっていない中動態的な状態です。しかし綾屋さんは、すでにご紹介したとおり、このようなアフォーダンスのすり合わせ過程がすべて意識に上ることは、決して楽なことではなく、膨大な情報のすり合わせとまとめ上げの作業に時間がかかってしまって身動きが取れなくなるような日常を過ごしているのだ、と言っています。

それに対し、なぜなのかはよくわからないけれど、定型発達者、いわゆる健常者はその一部始終が意識に上らないようにできているらしい。言い換えると健常者というのは、モル的な行為の決断が分子的なアフォーダンスのすり合わせによって生成したという自覚さえもないまま、それがあたかも何もないところから生まれたように感じることができるのではないか。このことは國分さんが前回おっしゃられた「無からの創造」を少し想起させるようにも思います。

國分　「うっかり」の話は非常におもしろいですね。いわゆる健常者は切断しているというより、うっかり行動している。「おなかが空いたなあ」と思って「じゃあ、うどんでも作るか」というのは、まさしく「うっかり」やっていることですね。情報のすり合わせをしているつもりもないのに、できてしまっている。

スピノザが意志について述べていることが参考になるかもしれません。スピノザは自由な意志は存在しないと言う。けれどもスピノザは人間が主観的に意志という能力を感じていることは否定してはいないんです。

熊谷　錯覚かもしれないわけですけれども、たしかに感じてはいますものね。

國分　ええ、そうです。人間は自分では意志を感じる。それはある意味では意志が「うっかり」生成するものだからだと言えるかもしれません。頭のなかで、いろいろな演算が行われて、その結果が意識に上ってきます。意識には結果しかわからない。その諸々の結果をうっかりまとめ上げてしまうことで意志を感じられるようになる。

現象学と発達障害

國分　ここでフッサールの現象学について少し話をしたいと思います。村上靖彦さんが、フッサールには発達障害があったのではないかという非常に興味深い説を唱えています。[*27] 村上さんはフッサールの間主観性の議論が発達障害をもつ人々の対人関係のあり方と似ていると述べているのですが、僕はフッサールの時間論についても同じことが言えると思うんです。

　どういうことかというと、フッサールは時間の生成についてあり得ないほど細かいことを書いているのです。ここでは「普通」という言い方をしますが、「普通」の人間は自分のなかでどうやって時間が生成したかなど覚えていない。それを全部、うっかりやってしまっている。フッサールがそれについて縷々書くことができたのは、彼自身がそれをうっかりやってしまうことができず、とても苦労して時間感覚を獲得したからではないか。

　僕が研究しているドゥルーズにも似たところがあります。彼の他者論は他者というものが自分のなかに内面化される以前について語ったものですが、それをどうして彼が意識的に理論化できたのか、とても不思議に思えるのです。ドゥルーズも他者の内面化に苦労しており、うっかりそれをやってしまうことができなかったのではないか。

綾屋さんの知覚を巡る「高解像度」という表現もこれに似ていて、知覚をうっかりまとめ上げてしまうことができない。それは普段うっかりまとめ上げている人なら思いつかないことでしょう。

僕は現象学の専門家ではありませんが、フッサールの現象学が、僕らが今取り扱っている問題を考えるうえで役に立つだろうという直観があります。ところで現象学にはさまざまな流派があります。現象学でも、自己の存在、他者の存在を前提したうえで考えはじめる自己／他者モデルのようなタイプのものだと、僕たちが今話している

＊27　「私はフッサールは軽度の発達障害を持っていたと思っています（もちろん、一九世紀の心理学理論の影響はあるでしょうが）。あの間主観性の議論は発達障害を持っている方たちの対人関係の取り方と非常に似ていますから。」（木村敏・村上靖彦対談「統合失調症と自閉症の現象学」、『現代思想　特集「臨床現象学――精神医学・リハビリテーション・看護ケア」』、二〇一〇年一〇月号、青土社）。

ような問題、中動態の世界を生きることのつらさはうまく記述できない。そのあたり、熊谷さんから少しお話しいただけますか。

他者の現象学と当事者研究

熊谷　はい。しかし私も現象学に詳しいというわけではありません。ただ、私と綾屋さんで一緒に本を書いていたときによく話していたことですが、素人ながら、やはりフッサールはよくわかる。フッサールは、私たちの当事者研究とよくなじむ。けれども、他者の生活世界に迫ろうとする現象学は、むしろ従来の医学的な自閉症研究に即応している印象です。他者の現象学は、自閉症ではない人が、外から自閉症の内的世界を探究するわけです。私は正直、「そんなことができるのだろうか」と思ってしまうのです。

もちろん、自閉症の研究にはいろいろなアプローチがあり得る。綾屋さんと私が試みたアプローチは、本人目線で自分に起きている出来事を高解像度で振り返ってみるというものです。その意味では、いわゆるフッサール的な意味での自己の現象学だと言えるかもしれません。いっぽう、他者の現象学では、自閉症の子どもたち、大人たちを外側から観察するわけです。非常に優れた研究とされるものもたくさんあります。しかし、いったいどちらのアプローチが正しいのだろうか、と考えることがあります。

例えば、村上靖彦さんのお仕事も上記のような意味で他者の現象学と言えると思いますが、ご著書のなかで、なぜ自閉症者がモル的になれないのかというと、他者からの視線触発が受け取れないからだ、と記載されています。[*28]

先ほど、多くの人がモル的な世界で見ているときに、自閉症的な人は分子的な世界で、より細かく見ているのではないかという話をしました。村上さんの自閉症論も、その点については一致しています。でも、なぜモル的になれないのかという理由が、私たちとは違う。

*28　村上靖彦『自閉症の現象学』（勁草書房、二〇〇八年）

視線触発というのは、難しい言葉ですが、他者の志向性というか、眼差しのようなものを感受する現象です。でも、私には正直よくわからないんですよ。例えば今、私が國分さんを見つめてみます……今、見つめましたが、國分さん、視線触発を感じましたか？

國分　いや、ちょっとわからなかったですね、注意力が散漫なんですかね（笑）。

熊谷　私の目力が弱いんでしょうか（笑）。いずれにしても、誰かを見つめるということを私たちはします。逆に誰かから見つめられていると感じることもありますよね。相手が私のことを見つめていることに気づいている、これを視線触発されている状態と言います。そして、相手が私のことを見ているという、視線がこっちに向かっているということを感じ取ることができる状態を、視線触発を受け取れる状態、と表現する。村上さんのご著書には、この視線触発を受け取れない障害が自閉症なのだと書いてある。それ以上のメカニズムはよくわからないけれども、視線触発を受け取れない障害が根本にあって、その結果、モル的になれないのだというわけです。でも、はたして本当にそうなのだろうか。

これをわれわれの仮説と比べてみると、因果関係が逆だということがわかります。われわれの考えでは、視線触発を受け取れないというのは結果です。視線触発を受け取ることができない原因は、他者と関わる以前から、多数派と解像度が違うからです。多くの人がモル的に見ているときに、自閉症者は分子的に見ている。もし、これを解像度の違いというふうに表現するとすれば「はじめに解像度の違いありき」。これが綾屋さんと私の当事者研究の骨子なのです。

また、『発達障害当事者研究』では、第四章になってようやく「他者」という言葉が登場します（「揺れる他者像、ほどける自己像」）。なぜなら、われわれは、他者との関係におけるさまざまな問題というものは、原因ではなくて結果、応用問題に過ぎないと考えているからです。これまでにも述べたように、社会モデルを採用するという私たちの方針から演繹される前提です。

これは単に記述における順序の問題という話ではありません。私たちがこの順序になぜこだわるのかというと、理由があるのです。自閉症に対する一般的な専門家のイメージは、他者関係における障害が根本にあるというものです。そういう意味では、現代の自閉症に関する通説は、村上さんの自閉症研究ときわめて相性がいい。はじめに他者関係の障害ありき。世界的な趨勢として、他者関係以外の問題はその結果であると論じる傾向があります。でもそれではいろいろ説明のできないことが生じるだけでなく、医学モデル的な弊害すら導かれるのだというのが私たちの考えなのです。

先ほども少し別のかたちでお話ししましたが、私たちが考えているのは、世界の解像度が揃っている者同士であればコミュニケーションは取れるのではないか、という仮説なのです。他者関係の障害がまずあるのではなく、単なるマイノリティ性があるだけだ、と。マイノリティ同士であればコミュニケーションはうまくいくし、そこには社会が生まれるという考えです。

今は、包摂的な社会とか、共生社会とか言われています。しかし、自閉症について、社会性の障害やコミュニケーション障害が根本の特徴だと記述してしまうと、もし、それが変えられない特徴であるなら、社会の構成員としては迎え入れられないという結論になってしまう。それはやはり、簡単には容認できません。そうではなく、ある種のオルタナティヴな社会があれば、そこに参入できるはずです。なぜなら「コミユニケーション障害が根本ではないからだ」「他者関係の障害が根本ではないからだ」というのが私たちの研究の掛け金なのです。理論としてどちらが正しいのかというのは、これから論じられなければいけない。しかしそれとは別に、この二つの因果関係の順序は、じつは臨床の現場ばかりではなく、きわめて実践的な社会構想、あるいは支援のデザインというものと直結するものなのです。このことを最後に補足しておきたいと思います。

主体の生成と図式化

國分　熊谷さんがお話しされた二つの違いは非常に重要ですね。もう一度復習しましょうか。仮に自閉症を他者関係の障害とすると、コミュニケーションが上手でないとか、相手の心を想像できない、などということになるわけですね。

これほど厳密性を欠きながら、まるで学問的であるかのような顔をして流通している定義も珍しいでしょう。コミュニケーションにおける障害とは、二者の間に生じるずれのことであって、その原因を一方に帰することはできません。まさしく、熊谷さんと綾屋さんが『発達障害当事者研究』で書いていらっしゃるとおり、「アメリカ人と日本人のコミュニケーションがうまくいかないときに、「日本人はコミュニケーション障害」というのは早合点であろう」というわけです。*29 つまり、自閉症的傾向をもつ人が定型発達者の言わんとするところを理解できていないのであれば、定型発達者もまた自閉症的傾向をもつ人の言わんとするところを理解できていないということになります。

先ほど、粒の大きさという話がありました。解像度と言ってもいいわけですが、世界の解像度が揃っている人同士の場合は話がしやすい。これはわかりますよね。にもかかわらず、その解像度の粒の大きさが揃っているマジョリティ内でのコミュニケーションだけを規範的なものと考えれば、それに入らないマイノリティの人は障害者の扱いにできる。

他者の現象学が想定する視線触発、すなわち他者から発せられる志向性についても、受け取ることのできる人とできない人がいるのではなくて、解像度が揃っている場合には受け取りが容易になり、揃っていない場合には受け取りが困難になると考えるべきではないでしょうか。

　綾屋さんの研究のおもしろさは、あまりに高解像度な粒に取り囲まれているときには、自己そのものがなかなか生成しない、つまりある種の主体性が生成しないんだという点ですね。主体性が生成しないからうまく行為できず、モゴモゴしてしまう。主体を前提とするか、主体そのものも生成すると考えるかという違いは大きいと思います。綾屋さんの理論は後者であり、ドゥルーズもまさにそれです。

　ここで議論を展開するために、図式という言葉についてもう一回考えてみたいと思います。モル的と言ってきたこととも結びつくわけですが、熊谷さんは図式という言葉をよく使われますね。僕は主体の生成には図式が関わってくると思う。主体そのものも、その生成はさておき、主体が行為するときには、ある図式が必要になってくる。

＊29　綾屋紗月＋熊谷晋一郎、『発達障害当事者研究――ゆっくりていねいにつながりたい』（医学書院、二〇〇八年、四頁）

この場合の図式とは何かというと、世界のパターンみたいなことだと考えていいと思います。この場合の世界には、みずからの身体も含まれています。

ここで言う、世界にはみずからの身体も含まれるというのは非常に重要で、自分の身体がどう動くとか、なんらかの刺激にどう反応するかというパターンの認識はあらかじめあるものではありません。例えばこれは自分の子どもを見ていて気づいたことなんですが、赤ちゃんは指しゃぶりをしますけれども、すこし成長すると手に持ったものを口に入れようとします。ところが、最初それはうまくいかないんですね。手に持った棒の先がおでこにあたってしまったりする。手に持ったものの先っぽがちょうど口に入るように手を動かすというのは高度なことなのでしょう。でもだんだんそれもできるようになる。今見ているものと、手の動きの連動のパターンを学習することでそれができるようになる。

熊谷さん、世界のパターンを現実のなかに見極められたとき、その現実を図式化したと言っていいでしょうか？

熊谷　そうですね。パターンだから、予測も可能になる、ということですね。

お話の途中で恐縮ですが、ここで少し図式化の問題に関連するかたちで、再度、予測誤差に関するお話をさせていただいてよいでしょうか。

國分　ええ、もちろん。

予測誤差と〈この〉性

熊谷　綾屋さんと私が二〇〇八年に『発達障害当事者研究』を出したあと、この本のなかで書いたことをうまく説明してくれる理論を携えてきてくれた、ある一連の研究者たちがいらしたのです。まだ十分に私たちも汲み尽くせているかわからないんですが、その理論というのが、「予測符号化理論」、プレディクティヴコーディングセオリー Predictive Coding Theory というもので、精神活動に関する久しぶりのグランドセオリーです。

化学者であり物理学者であり生理学者であり、「ヘルムホルツの自由エネルギー」で知られるヘルムホルツという偉大な研究者がいます。そのヘルムホルツに影響を受けて精神現象のグランドセオリーを立ち上げたのがフロイトです。そのヘルムホルツ／フロイトの影響をさらに受けて、最近この「予測符号化理論」、あるいはさらにこれを含むかたちで「自由エネルギー原理」というものを提案して注目されているのがフリストンという研究者で、この三人は一つの系譜を形成しているのですけれども、このフリストンが統合失調症、自閉症、そして平均的な人、などさまざまな精神現象を「予測符号化」というフレームワークで理論化できるんじゃないかということを言っているそうなのです。さらに彼らはASD、自閉スペクトラム症に関してもなかなか大胆なことを言っているのですが、その仮説が、私たちの当事者研究の仮説ともかなり関わり合っているのです。そういえば二〇一八年の三月に、アメリカの『サイエンス』という雑誌のWebサイトのニュース欄に、われわれの当事者研究と予測符号化理論とを関連付けながら紹介した「Does autism arise because the brain is continually surprised?」という記事も紹介されました。[*30] ではこの予測符号化理論とはどのようなものなのかについて、概略を説明したいと思います。

人間の脳を一つの臓器と捉えたときに、その仕事はなんでしょう。心臓がポンプ機能のある臓器、肝臓は代謝の臓器、腸は消化の臓器。では脳はなんの臓器かというと、ヘルムホルツは「予測する臓器」、あるいは予測と密接に関係する「推論する臓器」、プレディクションマシーンあるいはインファレンスマシーンなのだと定式化したのです。

言われてみればそうかなあ、と。図式化と関係するところだと思うのですが、たしかに私たちは生のままの情報を受け取っているわけじゃなくて、それを意味づけたり推論したりあるいは予測したりしているわけです。次に何が起こるかということも、脳はつねに予測し、解釈しようとしている。つまり、時間というのでしょうか……。

國分　ああ、ここで時間が出てくるわけですね。

熊谷　ええ。「現在」の感覚経験を、「過去」の感覚経験と比較し、共通するカテゴリ

＊30　George Musser: Does autism arise because the brain is continually surprised? (Science, March. 9, 2018) https://www.sciencemag.org/news/2018/03/does-autism-arise-because-brain-continually-surprised

ーを抽出する。このカテゴリーが「未来」の感覚経験についての予測を与える、というかたちで、予測器官としての脳は時間を生み出します。

とはいえ、人間は生きていれば、当然プレディクションが外れることがある。成長と共にだんだんとそれが外れることは減ってくるとはいえ、それでも予測は完璧ではなく、想定外の事態、予測外の事態に私たちは直面することがあります。これを予測符号化理論では予測誤差と呼びます。國分さんとこれまでいろいろなかたちで議論してきた概念、つまり、予測と現実のずれ、ということですね。

さらにここからASD、自閉スペクトラム症の話になってくるのですが、予測誤差の許容度には個人差があるんだと。つまり、多少予測が外れても、私たちの脳みそはびっくりはしない。まあまあおおむねこの概念とかこのカテゴリーによってこの感覚は説明していいよね、というわけです。まったくイコールではないけれど、このあたりでいいんじゃない、と。つまり、あるレンジのなかに収まる予測誤差であれば、私たちの予測のモデルをアップデートするほどのことはないんだと判断できる。しかし、予測誤差があるレンジを超えると、これはまずいんじゃないかということになる。現状、私がもっている予測は質が低いんじゃないかと考える。そうすると、予測誤差をもっと減らせるように予測自体をアップデートするか、あるいは予測どおりになるように世界を支配するしかなくなるのだ、とフリストンは言います。予測のアップデートは「知覚」、世界の支配は「行動」で、予測誤差に対する私たちの脳の応答は二択なんです。

そして、予測誤差がある一定ラインを超えるともうスルーできなくなるというその閾値に個人差があるんだとフリストンは言い、この個人差を表すパラメーターでASDを表現できるのではないかというわけです。ASDでは、この閾値が低い、つまり少しでもエラーが発生すると、たいへんだ！　というふうに感じやすい脳を持っている人たちなのではないか、というのが、「ASDの予測符号化理論」の要諦なんですね。で、これはもしかして「想像力」と深く関係しているのではないかと私は思っているのです。

國分　いやそれはもう、非常に関係すると私も思いますね。想像力というのは現存しない対象を直観する能力だとカントは言っています。存在していないのに直観できる。

要するに、存在しないものを存在させることができる能力が想像力であり、「予測」はまさにそれですよね。脳というのはまさに予測を主とする臓器であるとしたら、まさしく脳の能力というのは想像力こそが中心であるということになります。

今準備している論文にも書いたのですけれども、[*31] ハイデッガーによれば、カントは人間の精神の能力として想像力の他、理性や悟性や感性を認めたわけだけれども、その根幹にあるのは想像力です。人間の精神的能力のすべては想像力からきている。僕はこれはかなり正しいと思います。理性も結局、発展した想像力ではないか。そして今のフリストンの話で言えば、この想像力というのは予測ということになるわけですよね。想像力というのは予測の能力を培うことだといってもいい。

熊谷　そうですね。そして私は、序章で國分さんが教えてくださった〈この〉性の話ともつながる気がしているのです。予測誤差に敏感であるということは——フリストンの理論が正しいのであるならば、ＡＳＤの方はやはり予測誤差に敏感である、という言い方ができると思うのですが——、〈この〉性と密接に関わることなのだと思うのです。つまり私たちは、あ、これ知ってる、つまり前に経験したことがあるという事物を「予測可能なもの」であると考えるわけです。予測というのは、二回、三回と複数回経験していなければ、その定義どおり、不可能なわけですよね。別の言い方をするならば、ああこれは経験ずみで知っていることだというふうに目の前のものを解釈している、つまり「予測しきれた」、フリストンの言葉で言えば、Explain away、「説明しつくした」というような状況で目の前のものを捉えているときというのは、カテゴライズ、つまり図式化している。それは〈この〉性とはもっとも遠い状態にあるといえるでしょう。

しかしエラーに敏感な人は、多くの人が「あ、これは前に経験ずみ」と思えることに対して、「これははじめてだ」と思うわけです。たとえばかつて同じような時間に同じ場所に身を置いて、同じような経験をしたことがあったとしても、ＡＳＤの人はそれを、初回のエピソードとして経験するのではないか。

＊31　國分功一郎「類似的他者——ドゥルーズ的想像力と自閉症の問題」（檜垣立哉、小泉義之、合田正人編『ドゥルーズの21世紀』、河出書房新社、二〇一九年）

綾屋さんも書いていらっしゃいますが、本人の頭のなかには、〈この〉性や一回性のエピソード記憶が氾濫している状態なのではないか。多数派は意味記憶といって、範疇化されたカテゴリーによって回収できるような、ある種色あせたというか、生々しさを失ったカテゴリーによって解釈できているものを、はじめてのエピソード記憶として鮮明に繰り返し経験するために、つねにエピソード記憶で頭のなかがパッパッなんだと。まさに〈この〉性の飽和ですね。〈この〉性が飽和することと予測誤差に敏感であるということは、表裏一体のことではないかと。

國分　それは表裏一体ですね。非常に興味深い論点だと思います。

僕の研究しているジル・ドゥルーズという哲学者が『差異と反復』という本のなかで、「反復」、つまり繰り返しについて、とてもおもしろいことを論じています。[*32]

例えば、鐘をカーン、カーン、カーン、カーンと叩いているとき、叩くほうもその音を聞くほうも、その音は反復しているのだと思いますよね。しかしドゥルーズいわく、じつはそうではない。その反復は鐘が打たれるたびに崩壊していっている。というのも、鐘は単に一回ずつ鳴っているだけであるからです。それが反復されていると思うためには、何かジャンプが必要です。現象としては一回鳴ってまた一回鳴っているだけである。けれども、それを受け取る主体のなかで何かジャンプがあって、それに反復を読み取る。ということは、主体の側でのそのような受け取りがなくなれば、鐘の反復は崩壊する。

これをさらに言い換えると、その反復の手前においては、カーン、カーンという一回ずつの鐘の音が〈この〉性をもって捉えられるということです。予測と〈この〉性はたしかに強い関係を持っています。反復しているぞと思った瞬間に、また鳴るぞ、また鳴るぞ、と予測が出てくる。音楽やリズムを楽しめるということともこれは関係しているでしょう。ただ、ドゥルーズもこれをジャンプとしてしか説明できなかった。不思議さがあるとしか説明できなかった。

フリストンの言う予測にしても、予測がどうやって可能になるのかという肝心なと

＊32　ジル・ドゥルーズ『差異と反復（上）』（財津理訳、河出文庫、二〇〇七年、二〇二頁）

ころがわからないように思います。それは、この予測が僕らの経験のあまりに基本的なところにあるからではないか。僕らは予測ゼロでは生きられない。これがうまくいかないとき、とても生きにくい。けれどこの予測というのは、よく考えるとどうやって成立しているのかがよくわからない。例えばそこに扉があって、どこをどういじればどう開くのか、だいたいわかっているつもりだけれど、よく考えれば開かない扉かもしれないし、単なるフェイクかもしれない。しかしだいたい思ったとおりになるから僕らは生きていくことができる。

熊谷さんと数年にわたって予測についてたくさん考えてきたわけですけれど、予測誤差に対するある種のトレランスが高い人と低い人がいる。子どものときはみなヴァルネラブルでトレランスが低いわけですが、だんだんと発達に伴い、高くなる。しかしそうすると、一回一回の個別の豊かな体験が失われるということになるわけですね。

ＡＳＤの生をバラ色に描くのは問題があるかもしれませんが、そこでは言ってみれば一つ一つの現実が強い強度で経験されている。そこには予測に覆い尽くされた経験とは違う生の経験がある。もちろん、だからこその生きにくさがあるわけですが。

熊谷　そうですね。じつはASDに関する「When the world becomes ‘too real’」というタイトルの論文があるんです。[*33] 自閉症の予測符号化理論についての総説論文なのですが。

國分　「The world becomes ‘too real’」とは、じつに言い得て妙の表現ですね。ジジェクが好きそうだ（笑）。

予測・図式・想像力

國分　ではここで少しだけ話を戻しつつ、予測とパターン、あるいは図式化との関係について、もう少し熊谷さんと考えていきたいと思います。

*33　Elizabeth Pellicano and David Burr: When the world becomes ‘too real’: a Bayesian explanation of autistic perception (Trend in Cognitive Sciences,Volume 16, Issue 10, October 2012, pp. 504-510)

先ほど話に出たモル化というのは、言い換えれば図式化です。では、この図式をわれわれはどうやって作り出しているのか。他者の現象学だとどうしても図式化作用をすでに獲得した主体が想定されてしまう。そうではなくて、図式化はどうやって可能になるのかを考えなければならないのではないか。

この「図式」という言葉ですが、先ほど名前を挙げた哲学者のカントの用語です。カントは「感性」と「想像力」と「悟性」、この三つを人間の重要な能力として分けて考えました。「感性」は受け取る能力、受容性ですね。「悟性」は概念を使って能動的に理解する能力です。カントはいろいろなものを受け取ることと、概念で理解することの間に何かがあるはずだと考えました。単に多様なものを受け取るだけだと、それを概念に当てはめることができない。だからなんらかの媒介が必要になるはずだと。そしてその媒介こそ、想像力が行う図式なのだと考えた。

なお、今僕が想像力と呼んでいるものは、カントのテキストでは「Einbildungskraft」で、英語やフランス語では「Imagination」と翻訳されるものなのですが、日本語ではしばしば「構想力」と翻訳されます。カントの著作の邦訳を読んでいて「構想力」

と出てきたら、それは「想像力」のことだと思ってください。

カントは図式化を想像力の作用だと考えました。これはおそらく正しいと思います。「想像力」という言葉は、日常的にひどく頻繁に使われすぎて、その意味があいまいになってしまっていますが、すでに引用したとおり、カント自身の想像力の定義はきわめて簡単です。「存在していないものを存在させる能力」。

言われてみれば、そのとおりですよね。例えば相手の心を想像するというとき、相手の心なんて、もちろん見えません。だから、自分の心のなかに相手の心を作り出すわけです。想像力というのは、ものすごい能力です。ないものを存在させてしまうわけですから。例えば、先ほどお話しした、世界に見出されるパターンだって、現実には存在していません。実際は、毎回、微妙に違うわけですから。だけれどわれわれは、ついうっかりと「まあだいたいこんなものだろう」と、世界にパターンを見出してしまっている。そもそも「予測」と簡単に言いますが、未来とはまだ存在しないもの、そこにはないものでしょう。なのに、そういうものを想像力が作り出す。そうした能力が、物事を大まかに分類する図式化作用を行っている。

図式化とは多様なものを大雑把なイメージに当てはめることです。このイメージは現実には存在していないものであり、心のなかで作り出さなければならない。だから想像力が図式化を行うと言われるわけです。言い換えれば、多様な現実をモル的に捉えるために、モル的なイメージを想像力が作り出して、現実を当てはめていくのが図式化だということになるでしょう。そして受け取る現実があまりに高解像度であるとすると、イメージとの乖離が激しくなり、うまくそれに当てはめることができないし、あまりにも多くのイメージを用意しなければならなくなるから、図式化がうまくいかないとも言えることになります。

「他者」はそんなにすごいのか

熊谷　國分さん、ありがとうございました。「図式化」と「想像力」の関係、これは私も関心があるところですし、「予測符号化理論」ともしっくりきます。引き続き議論していきたいところです。おそらくたびたび話に出ている「他者」とも関係してくるでしょう。

先ほど、他者の現象学での自閉症論と、私たちの当事者研究とを比較して、この二つの自閉症論においては、他者の視線触発と図式化の順序が逆になっているとお話ししました。他者の現象学で自閉症論を展開するうえで踏まえているのは、ラカンやレヴィナスの哲学的な理論のようですね。それは、理論的な根拠として引用されているところからも、また、参考文献からも明らかです。

いわゆる他者論です。ごく簡単に言うと、人間の図式化にとっては、他者の存在が重要なんだ、というわけです。いや、私たちも、「他者が大事だ」という点は賛成なわけです。けれども、例えば鏡像段階のように、「他者」が登場してくるまではなんの図式もない世界があって、そこでは世界も身体もすべてバラバラなのだという話になってくると、ちょっと待てよ、と思ってしまう。仮にもしそうだとしても、どういうことを証明したらそう言えるようになるのか、という気がしてくるわけです。

まず、何の統一性もない分子の海のような状態があるのだと。そして生まれてしばらく経ってから他者に触れ、他者の視線に射抜かれることで、図式化が始まるという理論の出典が過去の哲学や精神分析のなかにあって、そうした哲学的な議論を意識した自閉症論になっているのではないかと思います。

しかし私たちは、それは本当なのか、他者というのは、そんなにすごいものなのか、という素朴な疑問を感じているのです。

國分 「他者ってそんなにすごいのか」というのはいいですね、本当は、そんなにすごくないんじゃないか（笑）。

熊谷 正直に言うと、本当は「そうでもないのではないか」というのが、私の実感です。現れた瞬間にそんな革命的なことが起きる他者ってなんなのだろう、と。そんなこと、私にはにわかには信じがたい。

國分 たしかに。

胎児の身体図式

熊谷 少し前に國分さんが、お子さんの「指しゃぶり」の話をされていたことを思い出しました。じつは、胎児も指しゃぶりをすることがわかっています。

國分　へえ、胎児が。知らなかった。

熊谷　ええ、そうなんです。ここでご紹介したいのは「胎児研究」、つまり生まれる前の赤ちゃんの研究です。ちなみに、ラカンにしても、その他の精神分析家にしても、当時参照している発達科学は今から見ると少し古い。つまり、古い観測事実に基づいて議論を組み立てている。しかし最近では、おなかのなかにいる赤ちゃんを動画で立体的に見られるようになってきています。そのような胎児の観察技術の進歩によって、胎児の段階ですでに身体図式がある程度存在していそうだということがわかってきました。

初期の胎児はランダムに身体を動かしていて、あまり規則性がない。身体全体が羊水になんとなくプカプカ浮かんでいるだけで、はっきりとしたパターンが見られません。けれども、そのうち、まとまりを持った行動パターンが観察されるようになります。そのうちの一つが指しゃぶりなのです。

國分さんがお子さんのお話で言われていたのと同じく、胎児もまた最初のうちはあらぬところに指を持っていったり、身体のいろいろな場所に指を当ててみたりなどを繰り返します。そしてだんだんと口元に指が向かうようになっていきます。最後には、指が口へと届くより前に、口が少し開くところまでいきます。つまり「予測」しているんですね。もうすぐ指が口に届くということを予測して、口を開けはじめます。これは非常に原初的ではあるけれども、身体図式であると言うことができます。定義上もそうですが、「こうすればこうなる」というのが、身体図式の基本的な形式です。もちろん、胎児がそのように意識しているかどうかはわかりません。しかし胎児のなかになんらかの予測プロセスが作動しはじめているということは言えると思います。

つまり、生まれたのちにある段階で他者に出会い、いきなり身体図式がまとめ上がるのではなく、その前から身体の図式化はすでに始まっている。発達科学のなかではそうしたコンセンサスが得られつつあります。一つの傍証ですが、先ほどお話しした、図式化が先か、他者に触発されるのが先かという議論に関して言えば、なんらかの意味での図式化が先行していると言えるのではないか。もちろん、私たちも、本格的に他者に出会ってから、図式化がよりいっそう精緻化されることは否定していません。

けれども、他者と出会う前からすでに図式化の多様性が存在しているのだと私は思っています。つまり、少数派は少数派なりの細かい図式化があり、多数派は多数派なりの粗い図式化がある。こうした多様性はすでに存在していて、生まれた時点でマイノリティもマジョリティもみんな図式フリーなわけではない、と考えています。

國分　「他者」という言葉をもう少し精密に定義する必要があるかもしれません。今熊谷さんが言われた「他者」というのは、視線を持っている「別の人」という意味ですよね。

熊谷　そうですね、意志を持っている他者ですね。

國分　ただ、もともとは「他者」というのは自分以外の何かという意味ですね。「他者」という翻訳だと意志を持っている人間が想定されてしまいますが、otherは単に自分と異なるもの、他なるものを指すだけです。

するると、胎児の指しゃぶりを発生させる他なるものとの接触を考えられるのではないか。視線を投げかけてくる「他者」はいないけれど、じつは胎児はさまざまな他なるものからの刺激を受け取っている。そうでなければ、指しゃぶりしたいという「指しゃぶり欲動」は出てこないでしょう。欲動があるということは、なんらかの刺激があって、それに反応していると考えられますよね。

熊谷　國分さんが今おっしゃったように、「他者」と「他なるもの」との違いについては慎重にならなくてはいけませんね。現象学で言う視線触発をしてくるような「他者」とは、主体化が終わった他者、視線を持っていて、意志を持った存在として信憑される他者です。それに対して、胎児が出会う「他なるもの」は、おそらく胎児をびっくりさせるような何か、ですね。それはある意味で非常にプリミティヴな予測誤差ではないだろうか。そして同時に、自分なりの図式を持っているからこそ他なるものを想定できるわけです。そもそも図式やパターンがなければ、他なるものすら知ることは難しい。言い換えれば、何か予測している範囲があるからこそ、それを裏切るような事態に触れることができる。それを「予測誤差」と表現したわけです。「予測誤差」は、予測があってはじめて成り立つ。もしも、図式の外側にあるものを「他なるもの」と言うなら、主体とまでは言えなくても、なんらかのパターンなり図式があって、その後、他なるものに出会うわけです。

コナトゥスと想像力

國分　今僕たちは、図式化の起源を探りながらこうした話をしています。そこから胎児における図式化のところまで話が進んできました。熊谷さんがお話ししてくださった指しゃぶりの例も、さまざまな外的刺激によって生じるものとして考えることができます。まったく刺激がない状態では、欲動は発生しないし、図式化する必要もないわけですから。熊谷さんは先ほど、「他なるもの」について、それはある意味で非常にプリミティヴな予測誤差ではないかとおっしゃっていましたね。でも、予測誤差以外の単純なものもあるのではないかと思うんですけれど、それについてはどうでしょう。例えば普通に突然ごく小さなチクリとした刺激を感じたときなどは。

熊谷　そのチクリを予測しているかどうかですよね。

國分　チクリも予測誤差なんですね。

熊谷　ええ。やはり、なぜゆえにこの微小なチクリが生じた？　みたいに思うわけです。

國分　チクリが起こるはずがないと予測しているところにチクリが来るから、チクリと感じる。恒常性は乱されますよね。

熊谷　はい。そして、予測とは別に期待という言葉もあるわけですけれども。

國分　難しいですね。

熊谷　いずれにしても、人は恒常性を維持したい。

國分　恒常性の話はコナトゥスに関係してきますね。

熊谷　そうなんです。『中動態の世界』のなかにコナトゥスという表現がありましたが、恒常性を維持したいということは、生き物であれば当然です。また、以前も指摘しましたが、予測と期待は違うという点も、予測誤差ではないチクリを考えるうえで重要です。こうなるだろうというのが予測であるのに対して、こうなってほしいという願望が含まれるのが期待ですよね。そういう意味で少し違うわけですが、微細なチクリの例のようなものが毀損したのは、予測というより恒常性維持への期待と言えるかもしれません。この期待も、ある意味では図式と考えられます。

國分　コナトゥスという、生物がみずからを維持しようとする力がある。それは期待も予測も含んでいて、それらとのズレがいわゆる刺激であり、他なるものと考えられる、と。スピノザはずいぶん正確な話をしていたということになりますね。

熊谷　そうなりますね。

國分　スピノザはあらゆる個体にはコナトゥスがあり、個体の本質はコナトゥスであると言っています。するとコナトゥスという言葉の意味をもう少し厳密にしていく必要が出てくる。期待と予測がコナトゥスに含まれているというのは、たしかに熊谷さんのおっしゃるとおりですね。

熊谷　乳児はおそらく、何かしらの期待を持っているのではないか。そして、経験を重ねるにつれて、予測が増え、パターンを学習していく。そうするとコナトゥス＝期待も拡張していく。最初のうちは少し期待していただけなのに、因果関係を学習して、世の中や世界の仕組みを知るようになると、あれもこれもと期待をしはじめる。

國分　今の話を聞いていると、コナトゥスが図式化そのものだというふうにも感じられますよね。

熊谷　はい、そんな感じがしますね。少なくとも最初の図式、他なるものが登場する以前の図式のもっとも最初の部分はコナトゥスと呼んでいいのかもしれない。

國分　図式化の原初の力としてのコナトゥスは、想像力の萌芽を含んでいるということになるかもしれない。

熊谷　私も想像力という概念はとても気になっています。國分さんの言われた定義、つまり、ないものを生み出す力。コナトゥスは期待ですから、きっと現実とは異なるものを指示していますね。

國分　そうなりますね。

熊谷　期待をもつためには、現実は期待外れでないといけないですよね。

國分　コナトゥスと想像力になんらかの関係があることが見えてきました。コナトゥスという個体の本質としての力があり、それはなんらかの期待を含んでいる。期待をもったコナトゥスという力がある閾値を超えると想像力とでも呼ぶべき能力を発生させる。こんなふうにまとめることができるでしょうか。

ハイデッガーは感性（受動性）と悟性（能動性）という二つの幹の共通の根として想像力を捉えました。カントのなかにはそのような考え方がある、と。想像力は最終的に図式化を担うことになるわけですが、この想像力もまた発生したものであって、その起源にはコナトゥスという個体の本質としての力がある。

コナトゥスというのは、スピノザの用語では個体がみずからを維持しようとする力ないしは傾向のことですが、日本語に直すと「努力」になってしまう。

熊谷　努力（笑）。全然ニュアンスが違う。何か突然、意志に近づいた感じになってしまうんですね。

國分　そうなんですよ。だから「コナトゥス」というカタカナ書きの方がいいですね。生命がもつ傾向性みたいなものですから、「努力」と訳すとそれがわからなくなってしまう。

熊谷　胎児でも持っているわけですからね。さすがに胎児は努力という感じではないですよね（笑）。

國分　まさかね。つまり、コナトゥスという言葉を、僕らが今使っている言葉に翻訳するのがいかに難しいかという問題ですね。

熊谷　いや、おもしろい。今日はかなり話が進んだ感じがします。

國分　かなり進んだ感じがありましたね。みなさん、僕たちは普段もこんな感じでやりとりしているんです。しかしこうやってみなさんの前で、二人で授業のようなものをするのはとてもいいですね。

熊谷　ええ。すでにわかっていることをひとりで発表しているときと比べて、気づくことが段違いですからね。それにしても、コナトゥスがここで出てくるとは。

國分　ちょっと驚きましたね。人間の能力の根幹部分はなんなのか。いろいろイメージがあると思いますが、僕はどちらかというと受容性のようなイメージで考えていた気がします。が、今日のお話で言うと、個体が自分のまとまりを維持しようとする力がそもそもあるんだと。そして、それに対して外的な刺激が起こる。そうすると――『中動態の世界』で紹介したスピノザ哲学の用語を使うと――変状する。その変状のなかに指しゃぶりも含まれるし、欲動もそこから出てくる。

これはなかなか興奮する結論に至ることができましたね。

熊谷　本当ですね。ではここで、当事者研究へと話をもう一度引きつけてから今日の話を終わりとしたいのですが、國分さん、よいでしょうか。

國分　ぜひお願いいたします。

内臓への着目

熊谷　コナトゥスに非常に近いのが、綾屋さんによる内臓への着目だと私は思います。身体にはいろいろな器官がありますが、コナトゥスを担い、維持しようとする器官はある程度限られている。それを今ここでは、おおざっぱに内臓と呼ぶことにしておきますが、綾屋さんは『発達障害当事者研究』を書かれた頃から、自閉症を解明するうえで、内臓がどのようにさまざまなものを感じ取っているかということが非常に重要ではないかと考えられていました。最近になってようやく、多くの世界の自閉症研究者たちが内臓に注目しはじめています。

國分　内臓に。

熊谷　ええ。ただ、内臓はアプローチしにくいから、研究が難しい。

國分　そうでしょうね。しかも、自分の感覚のことですからね。

熊谷　そうなんです。それにしても、最後がコナトゥスに落ち着いたのがおもしろい。

國分　ちょっと興奮しましたね。コナトゥスと綾屋さんの内臓への着目が結びついたのははじめてですね。今日はまた非常に重要なやりとりをさせていただきました。ありがとうございます。

熊谷　こちらこそ、どうもありがとうございました。

國分　では何かご質問やご意見がありましたら、どなたか、ぜひ。

質疑応答

質問1

「私」はどこから出てくるのか？

――アフォーダンスの海として、皮膚の内側からも外側からもあらゆる情報が押し寄せてきて、しかしそれをまとめられないというお話、とても新鮮でした。

ただ、アフォーダンスの海をまとめ上げられないとしても、それをつらいとかたいへんだと思う「私」という概念自体はもうまとめ上げられているのではないか。「私」という概念が何か密輸入されているかのような印象を受けました。あらゆる情報をまとめ上げられないにもかかわらず、「私」は前提されている。だからこそ内側からとか、外側からということも言えるのではないか。あらゆる情報をまとめ上げられないのであれば、内側とか外側とか、つらいとかつらくないとかということすら言えないのではないでしょうか。「私」はいったいどこから出てくるのでしょうか。

熊谷　まず、内側と外側という区別についてはおっしゃるとおりです。「私」という輪郭がかなり明確になっていなければ、内側も外側もありませんよね。内と外という言い方は、綾屋さんが読者に向けて補助線として入れた分類ですね。

綾屋さんの主観的な感覚では、どちらも「私」の外側に感じているわけです。先ほどもご紹介しました綾屋さんの論文「アフォーダンスの配置によって支えられる自己」で、綾屋さんは、自分の身体も他者のように感じると表現しています。そういう意味では、皮膚の内側と外側という分け方が正確で、どちらも「私」の外側と感じられている、という表現になると思います。

また前半のご質問にあった、「私の密輸入」として感じられるということですけれども、つらいとかたいへんだと感じる「私」というのは、すでにまとめ上がっているのではないか、というご質問かと思います。國分さんとの討議の、最後の数分で到達したのは、これこそがコナトゥスではないのかということですよね。

追ってお話しする機会があるかと思いますが、アントニオ・ダマシオという神経学者が、自己を三段階に分けています。「原自己」と「中核自己」と「物語的自己」。ひとことで「自己」と言っても、ある瞬間に自己がまとめ上がって、それ以降は一生そのままの自己ということではなくて、どうも階層性とかレベルがありそうだと彼は考えます。そして、「原自己」という表現で、今日の文脈で言うとコナトゥス的なものを表現しようとしています。そういう意味で、綾屋さんの場合にも、原自己はまとめ上がっていると言えるのかもしれません。

そしてコナトゥスには当然、快不快が伴う。恒常性を維持した状態が快に近く、そこから外れた状態が不快。だからこそ恒常性維持に価値がある。原自己やコナトゥスは、私たちがイメージする自己とはもちろん全然違います。けれども、快不快を発生させる源はコナトゥスにはおそらく含まれているだろうと私は思います。

――行為ということを考えるとき、「私」という概念をどう考えたらよいのでしょうか？　今お話しいただいたように、何かしら中途半端な「私」はある。だけれども、そのときの行為というものをどう考えたらよいのか、そこがわからないんです。

國分　例えば今、息をしていますよね。息をするのも行為です。けれども、それは必ずしも「私」としてやっているわけではないですよね。

――どこで区別したら……息をするとかおなかが空くとかは行為なんでしょうか？

國分　息をするのは行為と言えるような気がしますが、おなかが空くというのは行為と言えるのかどうか。おなかが空くというのは身体あるいは内臓からの刺激をモル的にまとめ上げて得られた意識的な表象ですよね。その意味で息をするのとおなかが空くのとでは現象の位置しているオーダーが違うような気がします。

おっしゃるとおり、どこから「私」があると言えるのかは非常に難しい。図式化を通じて「私」が生成する直前にも、「私」に相当する何かが基体のようなものとして存在しているのではないかということですよね。今日の暫定的な結論は、その基体は単なるコナトゥスという力ではないかということになるのだろうと思います。ただ、この点は今後の課題とさせてください。

熊谷　指しゃぶりが予測できるようになった胎児には「私」と呼べるものがあるのかという問いの立て方もあるのかもしれませんね。そのときの胎児の運動は「行為」であるのか否か、という。

行為の一番小さい定義が「目的を設定した運動」ということだとすると、目的＝ゴールがあって、それに向かってある程度、予測をしたり期待をしたりしながら運動しているときに、運動は行為と呼べるものになる。心理学的には運動と行為の違いはgoal-directedで判断されます。だとすると、今日の議論では、指しゃぶりができるようになった胎児は「行為」をしていると言えるかもしれません。そしてそれが「行為」であるならば、指しゃぶりをできるようになった胎児は「私」と呼べる何かミニマムなものをもっているかもしれない。そして今日は、それがコナトゥスかもしれないというところまで来たわけです。

國分　ですね。

熊谷 「私」にはやはり階層性がありますよね。今お話ししたような意味での「私」と、もう少し成長発達してからさらに「′私」「″私」となる、というような。そういういくつか段階的な「私」があるのではないかなと思います。多様な概念ですから、いろいろな整理の仕方があり得るのではないかと思います。

——わかるような気がします。ありがとうございました。

質問2
コナトゥスは解体されるべきではないか?

——私は内科の医師で、主に生活習慣病と糖尿病を診ています。その仕事と照らして前半のお話、「したい性」と「します性」のお話を聞いていたときに、例えば定型発達の健常者がうっかり深夜にラーメンを食べてしまうというような場合、生活習慣病治療という観点から気づくことがありました。この場合、われわれの多くが治療として行うのは、「します性」への移行なんだと思います。つまり、深夜にラーメンを食べてはいけないという規則を医療者の方が与える、あるいは患者さんご自身で作ってもらうというのが治療の主体であるわけです。しかし、それは得てしてうまくいかない。だとすると、われわれは「したい性」への移行、つまり、うっかりから中動態の世界へと足を踏み入れていく、それがじつは治療の鍵を握っているのではないか、と。

そこで、お聞きしたいことの一つめは、うっかりと行為をできてしまう人が、中動態の世界に足を踏み入れていくということは、具体的にどのようなことであるかということです。

もう一つは、最後に出てきたコナトゥスが恒常性の維持という話だとすると、まさに深夜にうっかりラーメンを食べてしまうという話は、人間の生物としての起源をたどればコナトゥス的であるということになるのではないか。

國分・熊谷　そうですね。

――しかしこの、ラーメンを食べるという営みですが、栄養をとるという目的が生存に直結していない。昔は栄養摂取と生存とがずれていなかったわけですが、今はラーメンを食べたら糖尿病になるわけです。にもかかわらず、そのずれを主体が知覚できないという問題がある。だとすると、治療行為の過程でわれわれは外的にあるいは内的に、コナトゥスを解体しなくてはいけないということになるのではないか。

つまりスピノザが生きる力といったところのコナトゥスを解体していくという、一見非人道的にも見えるような営みを、われわれはこれからやっていかなければいけないのではないか、そんなことを感じながらお聞きしましたが、いかがでしょう。

國分　いやあ、おもしろいですね。

熊谷　本当ですね。ここに上岡陽江さんがいたら、今のお話を聞いてとても感激されるのではないかと思います。前回いらっしゃらなかった方もおられると思うのですが、前回は、依存症をひとつのテーマにしたのですが、今まさに依存症の治療モデルと成人病、生活習慣病の治療モデルの近接性が大いに議論されているんです。

國分　ハームリダクション的なことですね。[*34]

熊谷　ええ。ですから今のお話は、前回の話と直結する。

國分　昔は、「さあ、自分の意志の力で絶対深夜のラーメンなんて食べないと誓え」とやっていたわけですよね。いかにそれが体に悪いか自覚しろ、と。でも、それでは全然うまくいかないと。そうするとこの場合、どういうふうにするんでしょう。ハームリダクション的なやり方というのは、どういうことになるんでしょうか。

――治療の転機としては、糖尿病の患者さんが例えば心筋梗塞になるとか、そういうフィードバックがあるときでしょうか。それは一つのきっかけにはなりますね。

國分　命がかかっているという場合ですね。

＊34　松本俊彦、古藤吾郎、上岡陽江編著『ハームリダクションとは何か――薬物問題に対する、あるひとつの社会的選択』（中外医学社、二〇一七年）

熊谷　依存症で言うと、まさしく「底つき体験」というやつですね。
――おっしゃるとおりです。でも、そこまで待っているわけにはいかないので、フィードバックが起こる前に何かが必要になります。

熊谷　よくわかります。近年、ハームリダクションが注目された背景には、従来の「底つき」モデルでやると、多くの人が死んでしまう、誰も救えない、ということがあるからです。だから底つきでないアプローチが必要となってくるというわけですね。

國分　それと栄養摂取と生存のズレという問題はたいへん興味深い問題です。つまり、糖尿病患者の場合、コナトゥスに従って好きにラーメンを食べていたら死んでしまう。この場合、コナトゥスを解体しないと生存できない、と。

この問題を考えるためには、もしかしたら高度に思弁的である必要があるかもしれません。フロイトが「これは思弁である」と但し書きをして提示した概念が「死の欲動」です。いかなる生物も自分の死を全うしようとしており、死に向かって生きている。フロイトはあるときからそのようなことを考えはじめた。どんな生物でも自分の命を守ろうとするではないかという反論が当然あり得るわけですが、フロイトによれば生物が目指しているのは自分の手で自分の死を全うすることであり、それを邪魔するものは排除するというわけです。つまり、その部分だけを切り取ると、生への欲動が生物を支配しているように見えるが、これは部分だけを見ているにすぎない、と。

　するとこう考えられないか。これは危険な考え方かもしれないので、あくまでも仮説として聞いてください。糖尿病を含めたさまざまな疾患を通じて死のうとしている生物がいるとき、コナトゥスもまたその死へと向かう過程に寄り添っているのであって、そのコナトゥスを解体しようとすることは、その生物の欲動を邪魔しているということではないか。コナトゥスを生への固執と考える必要はないのかもしれない。もちろん、こう考えるとなんでもかんでもコナトゥスで説明できてしまうから、問題かもしれません。ただ、非常に思弁的な仮説としてとりあえずここに提示させてください。

熊谷　いっぽうで、前回の國分さんとの議論で出たのは、過去を切断するための手段や身振りについてでした。私もしばしばやるんです（笑）。過去を切断するためにラーメンやハンバーグを食べたりする。

國分　ハンバーグを食べて切断される過去というのはちょっと面白いですね（笑）。

熊谷　それは……（笑）、なんと言うんでしょうね……、自分助けの方法としてハンバーグを食べたり、ラーメンを食べたりと言いますか。それは本人も気づいている。いや、気づかないまでも、何か食べなければならないという、止むにやまれない事情があるかもしれないのです。前回議論したように、生きるために能動態的にラーメンを食べているかもしれない。ラーメンやハンバーグを食べることは、切断の身振りかもしれないわけです。依存行動としてこれを捉える、そういうアプローチは、診療において結果として意味をもつのかもしれません。

國分　ご質問から出発して非常に重要な論点が出てきたと思います。死の欲動のことにまで思い至るとは考えていなかった。ただ、生存に真っ向から反対する行為を死の欲動によって解釈するよりは、なんらかの切断の身振りと考えた方がいいかもしれませんね。

では今日はここまでにしましょうか。引き続き、熊谷さん、みなさん、次回もどうぞよろしくお願いいいたします。

第三章

自己感・他者・社会

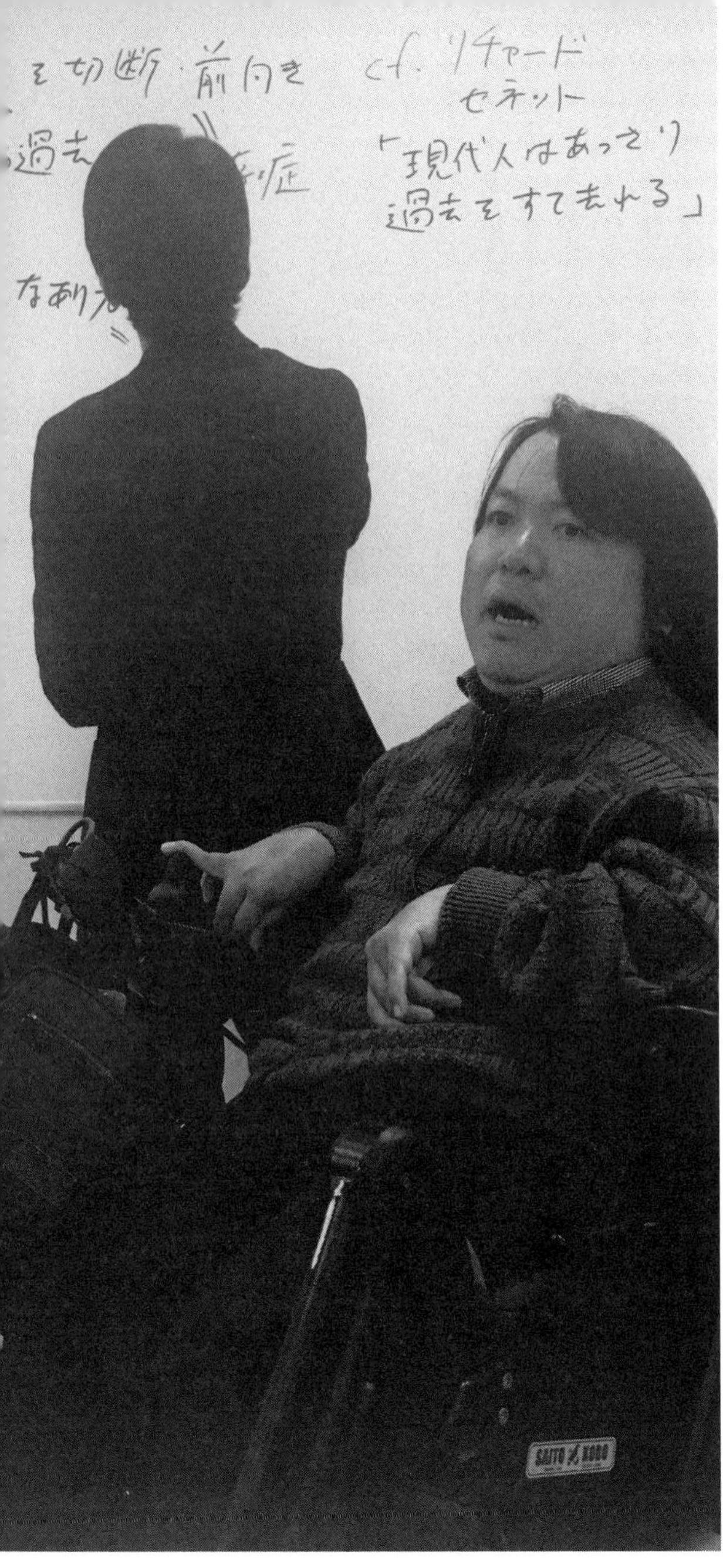

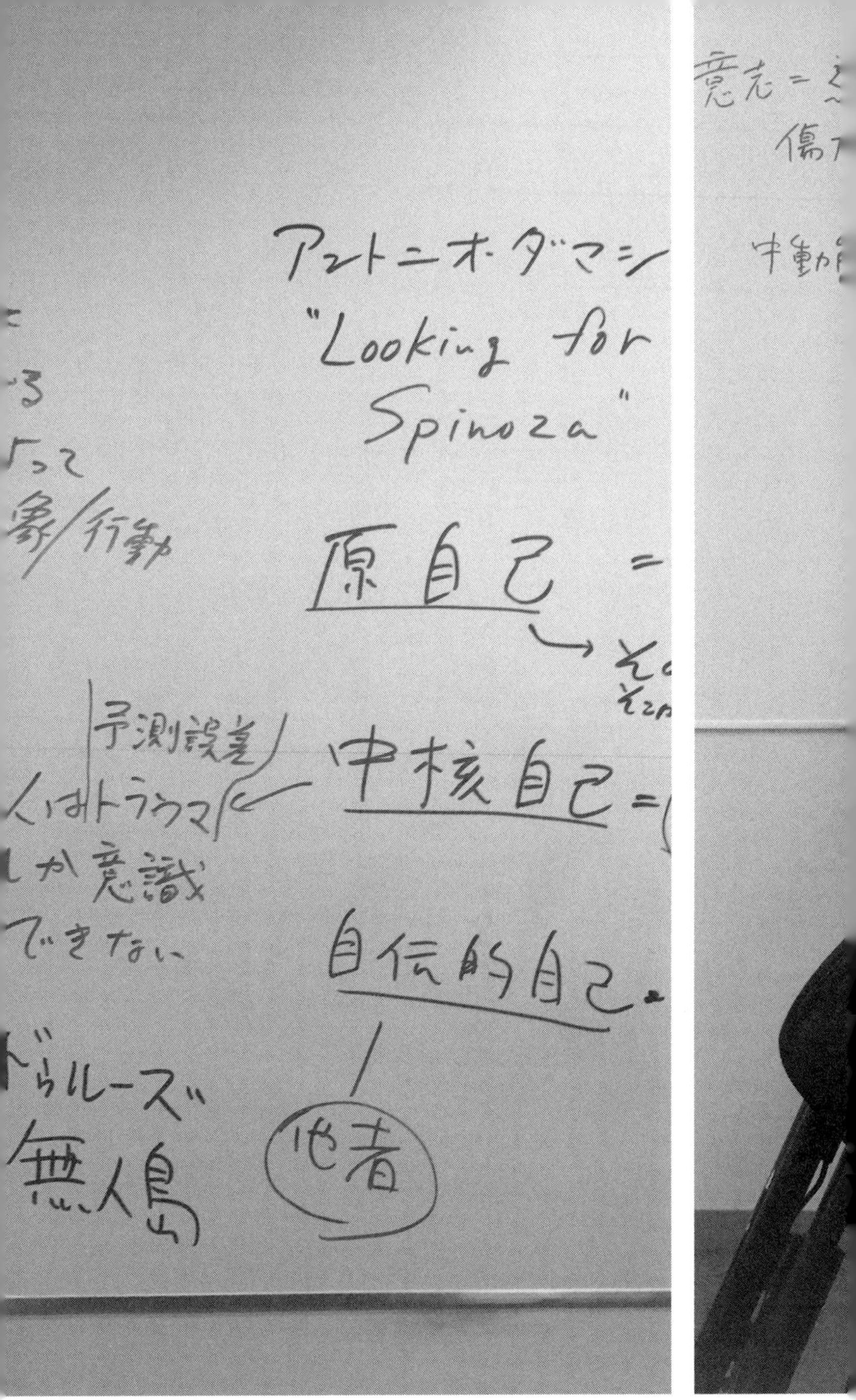
アントニオ・ダマシ
"Looking for Spinoza"
原自己 =
中核自己 =
自伝的自己
他者
予測誤差
人はトラウマしか意識できない
行動
ドゥルーズ
無人島

自己を維持するにはコナトゥスに逆らわねばならない

國分　みなさんこんにちは。今日もどうぞよろしくお願いいたします。

今日は前回の最後で話題に出た、コナトゥスの話からはじめたいと思います。コナトゥスというのはスピノザという哲学者の概念です。ただ、現代の医学で「恒常性原理」と呼ばれる、自己を一定の状態に保とうとする生物学的な力に非常に近いものであり、そのようにイメージしていただければよいと思います。スピノザはこの力こそが人間の本質であると考えました。

質疑応答では、非常に興味深い質問をいただきました。ご質問いただいたのは、こんな内容でした。例えば深夜にラーメンを食べたいと思っても、食べてはいけない場合があるのだと。質問者の方は生活習慣病に言及されましたが、ラーメンが食べたいというのは、なんらかの身体的な必要性に基づいて出てきた欲望であり、コナトゥスの発現です。そうすると、ある意味では、自己を維持する、自分を健康に保つ、または生き延びるために、コナトゥスに逆らわねばならない場合もあるのではないか。そのようなご質問でした。

たしかにそのとおりだと思います。コナトゥスに従っていればいいのかというと、そうではないかもしれない。生活習慣病は自覚症状がほとんどないと言われています。食べたらすぐ苦しくなるかといえば、そういうわけでもない。

まだ仮説でしかありませんが、この問題を僕たちなりに展開してみたいと思います。ポイントになると思うのは、コナトゥスと自己を分けて考える必要があるのではないかということです。

スピノザの哲学の基本ラインで考えると、コナトゥスという、人間の心身を貫いているある種の必然性にうまく従うことが能動性へと至る道となります。そして、能動性の割合が受動性の割合より増えれば増えるほど、人間は自由になっていく。スピノザは、自由というのは、束縛がなくなることではなくて、自分の力や本質が十分に表現されることとして考えました。

ところが、コナトゥスに従うと自己を維持することが難しくなる場合があるのではないかというのが先の質問でした。すると、コナトゥスに従うことと自己を維持することとを分けて考える必要が出てきます。

例えば、PTSD、心的外傷後ストレス障害などの場合もそれと考えられます。常に強い予測誤差を伴う衝撃的な出来事に出会った人は、突然あるいは何かのきっかけでそれを思い出してしまって、夜、眠れなくなってしまう。そしてそれが繰り返される。フロイトは第一次大戦後の戦争神経症の治療を通じてこの問題に直面するのですが、フロイトが出した答えは、そのような強烈な刺激を繰り返し思い出してしまうのは、心がそれに慣れようとしているからだというものでした。強烈な刺激によって心的装置が壊れてしまうことがある。その刺激の場面を繰り返すことは、それに慣れようとする作用であり、それによって心的装置を修復しようとしているというわけです。つまり、夜、その場面が夢として現れ、大汗をかいて目を覚ましてしまうのは、心的装置を元の状態に保とうとするコナトゥスの発現であるわけです。

フロイトの答えはたぶん正しいと思います。ただ問題はこの場合、コナトゥスの発現そのものが堪え難い苦痛になるということです。コナトゥスが発現することで、逆に自己が保てなくなる。

この話で思い出したことがあります。それは、ダルク女性ハウスの上岡陽江さんたちのグループの前で、あるドゥルーズの言葉を紹介したときのことです。ドゥルーズは精神分析における反復と抑圧、そして忘却の関係についてこんなことを言っています。

「私は、抑圧するがゆえに反復するのではない。私は、反復するから抑圧するのであり、私は、反復するがゆえに忘却するのである[*35]」。

それについて話を聞いていた参加者の方からこんなコメントが寄せられました。

*35　ジル・ドゥルーズ『差異と反復（上）』（財津理訳、河出文庫、二〇〇七年、六三頁）

「原理としてはそうなのかもしれないけれど、私たちは何度も反復してしまうし、いつまでたっても忘れられないんだ」。つまり、コナトゥスは苦痛な場面を何度も繰り返すことでそれへの慣れと最終的な忘却をもたらそうとする。しかし、あまりに苦痛な場面であると、その忘却はなかなか訪れない。すると原理としてはたしかに忘却を目指しているのかもしれないが、反復を経験している本人の自己としては、単に忘れたい苦痛な場面の反復に苦しんでいるだけということになる。ここに自己を安定して維持することとコナトゥスとの非常に難しい関係があると思います。

ここから熊谷さんお願いできますか。

コナトゥスと退屈しのぎ

熊谷　はい、とても重要なところですね。

前回は、「コナトゥス」と「自己」（特に原自己）が重なるのではないか、そして、「わたし」そのものの根拠は恒常性維持ということなのではないか、という話をしました。しかし最後の質疑応答で、本当にそうなんだろうかという疑問が寄せられました。むしろ、自己を保つためにコナトゥスを裏切るようなことも必要ではないかという問いかけでした。

これはおそらく、國分さんの『暇と退屈の倫理学』における、「人はなぜ退屈するのか」というテーマに近い話ではないかと思っています。もしもコナトゥスだけが原理なら、人は衣食住さえ足りていたらそれで満足のはずです。コナトゥスの命じるままに恒常性が維持されていたら、退屈を感じ、わざわざ外に出て傷だらけになったりしない。それなのに、わざわざコナトゥスを乱すような振る舞いをするのは、なぜだろう。それが、『暇と退屈の倫理学』の基本にあった問いではないか。

つまり、『暇と退屈の倫理学』では、コナトゥスが唯一の原理ではないのではないか、コナトゥスに反するような「退屈」という感情が人間にはあって、むしろそちらの方が重要かもしれないということが、すでに論じられていたわけです。そして人間はなぜ、一見すると愚かにしか見えないような「退屈しのぎ」をするのだろうか、と。

國分　はじめて熊谷さんと会ったとき、パスカルの「部屋にじっとしていられないから、人間は不幸を招く」という言葉について話しましたね。

熊谷　ええ、よく覚えています。難問ですが、その後、國分さんと私とでそれについて対話を重ねてきましたが、その暫定的な仮説が、前々回にも少しお話しした、「ヒューマン・ネイチャー」と「ヒューマン・フェイト」という考え方です。

消費と浪費、あるいはインプットとアウトプット

熊谷　「ヒューマン・ネイチャー」というのはまさに「コナトゥス」です。恒常性を維持しようとする、生まれ落ちた瞬間から持っている「自然」に近い。しかし、どうも「ヒューマン・ネイチャー」だけが「自己」ではなさそうだ。もう一つ、やはり「ヒューマン・フェイト」という側面が人にはありそうだ。この整理は、私には、たいへん納得できます。

私は、「痛みから始める当事者研究*[36]」のなかで、非常に単純化して言えば、退屈になる理由、じっとしていられないということの理由は、過去のトラウマが原因なので

はないか、と書きました。

かつてコナトゥスを乱され、踏みにじられた記憶が大きければ大きいほど、人は簡単にそれを忘れたり慣れたりすることができない。多かれ少なかれ、コナトゥスを乱される記憶は、私たちのなかにたくさんあります。いわば私たちは傷だらけなのです。そして乱された記憶が傷として残る。その疼きを取りたくて人は新たな傷を求めてしまうのでないか。

私はまた、同じ論文のなかで、さまざまな根拠を挙げながら、過去のトラウマ的な記憶を消すためには、今ここで新たにトラウマになるような傷を自分が自分に与えるのが一番だと述べています。例えば、自傷というかたちで出ることも、依存症のようなアディクションのかたちで出ることもあるかもしれない。いずれにしても、パスカル風に言えば、興奮させるような、覚醒度を上げさせるような何かで過去の痛みの記

＊36　熊谷晋一郎「痛みから始める当事者研究」（石原孝二編『当事者研究の研究』、医学書院、二〇一三年）

憶を沈静化させることが合理的である、そんな場面というのがあるかもしれない、と。

それを踏まえたうえで、人がなぜ退屈するのかを考えてみると、その暫定的な理由として、「ヒューマン・フェイト」というのはすなわち、私たちはコナトゥスだけではなく、傷だらけの存在だよね、ということに尽きる。國分さんも、以前別の機会にお話ししたとき、やはりそのようにおっしゃっていました。

何を隠そう、私も過食です。けれど、過食の場合でも、コナトゥスに導かれた過食とそうではない過食がありそうなんです。正確には、コナトゥスではなく何か別のものによって強制された過食の方を過食と呼ぶべきかもしれません。國分さんがすでに『暇と退屈の倫理学』で書かれている「消費」と「浪費」の区別がここでも役立ちます。単においしくて食べ過ぎてしまうのは浪費ですが、摂食障害としての過食はおそらく消費に近い。

じつは、浪費と消費の区別の話を読んだとき、私は真っ先に自分の過食のことを思い出したんです。

國分　過食しているとき、人は食べ物を味わっていない。つまり物を受け取っていない、だから止まらないわけです。逆説的ですが、これは僕の区別では消費に限りなく近い。浪費というのは贅沢することですが、贅沢するとき、人は物を受け取り味わっていますから、そのうちに満腹感が来て終わるわけです。

熊谷さんは以前、僕の浪費と消費の区別を、「インプット」と「アウトプット」という言い方で説明してくれました。浪費しているときには、食べながら味わい、その味をインプットできている。ところが、過食の場合は、確かに食べ物を飲み込んではいるんだけれど、そこに起こっていることはインプットというよりアウトプットであり、何かを食物にぶつけている。しかも内臓で起こっていることの受け取りも遮断しているので、自己の状態もモニターできなくなっている。

熊谷　そうなんです。私は自分の過食を思い出しながら、消費と浪費の違いはなんだろうと考えました。例えば、食べ物が目の前にあって、それをちゃんと味わっているときはうまく食べられるわけです。ところが、過食としてむやみに食べているときは、食べ物から情報をまったく受け取っていない感じがする。むしろ、エネルギーを食べ物にぶつけているような感覚があります。食べることがインプットではなく、スポーツするときのようなアウトプット重視の行為になっているときに、食べるのが止まらなくなるのではないか。

目の前のカレーライスを食べる、ハンバーグを食べる。どうして私がつねにカロリーの高いものを食べたくなるのかは不思議なのですが、「カロリーの高いどぎついものを俺は食べている」という観念を食べているのかもしれない。そしてそのとき、現実の食べ物からは味とかにおいとか歯ざわりとか、いっさいの情報を得ていないのではないかという気がします。おそらく、それがカレーでもハンバーグでなくてもじつはまったく構わない。また、自分の恒常性、この場合は満腹感などですが——もモニターしなくてはいけないはずですが、それもまったくできていない。カレーからのインプットだけではなく、内臓からのインプットも遮断されているそんな状況で、いうならばアウトプットだけで能動的に食べているときに、過食が止まらなくなる。そんなふうに考えていたのです。

そしてこのことがすでに國分さんの『暇と退屈の倫理学』で消費と浪費という言葉で整理されていたように感じたのです。國分さんもご指摘されていたように、これは二律背反ではなくて、情報が混ざっている。その重心の問題だとは思います。結局は「ヒューマン・フェイト」も、「ヒューマン・ネイチャー」があってこその「ヒューマン・フェイト」であって、そこは相互に関係していると言っていいのだと思います。

意識と自己感

國分　熊谷さんの「インプット」と「アウトプット」、そして、自己をモニターするというお話はとても興味深いですね。そもそも「自己をモニターする」というのはどういうことなのだろうか。

「当事者研究と自己感」で綾屋さんが書かれているように、ある種の「自己感」をうまく生成できないという人がいます。綾屋さんが挙げている印象的な例、おなかが空いているということがうまく認識できないということを再び取り上げてみましょう。*37 よく考えると、おなかが空いている場合に起きる現象にはいろいろなパターンがありますよね。前にお話ししたかもしれませんが、僕は、気持ち悪くなります。

熊谷　私は……どんどんおなかが空いてくる（笑）。

國分　空腹感って、放っておくと三十分ぐらいでなくなりませんか？

熊谷　そうですか……？　私はそのうち、だんだん悲しくなってきますね。

國分　（笑）僕は、忙しいときは本当に食べられないんですよ。授業がある日は、ほとんど食べられない。

熊谷　うらやましいですねえ。

國分　晩御飯まで何も食べないこともよくあります。

熊谷　それが二人の体型の違いに表れている（笑）。

國分　（笑）体型はともかく、空腹とのつき合い方は個人差が非常に大きいということですね。

綾屋さんが書かれているのは、何か不快感があるのだけれど、それが「あ、これ、おなかが空いているんだ」とわかるまでに時間がかかるんだ、と。脇腹のあたりがなんとなく痛いという人もいれば、僕みたいに気持ち悪くなってはじめて、自分がおなかが空いていたんだと気づく人もいますよね。こんなふうにいろいろなサインがおそらく複数同時にあるわけですが、それらが空腹という意味を作り出すためには、それらを統合する作用が必要になる。そしてそうやって身体の規則性を意識できたときに自己感が生まれることも、綾屋さんの報告から読み取れます。すると自己感をもってスムーズに生きていけることには、意識の作用が大きく関わっているのではないか。

意識とはなんでしょうか。そして意識は自己感とどう関わっているのでしょうか。ここには非常に難しい問題があります。そもそも意識の定義がまだ十分にはなされていないのですが、ここでもまたスピノザを参考にしながら、一つの仮説を提示してみたいと思います。

スピノザは精神と身体の関係性について面白いことを言っています。いっぽうでスピノザは「人間精神を構成する観念の対象は身体である」と言うのですが、それと同時に「人間精神は人間身体を認識しない」とも言うのです。[*38] どういうことでしょうか。

＊37　綾屋紗月「当事者研究と自己感」（石原孝二編『当事者研究の研究』、医学書院、二〇一三年、一七九頁）

スピノザの考えはこうです。精神は身体に確かに対応している。それが、最初の命題の意味です。けれども、それは精神がつねに身体をモニタリングできているということではない。精神はただ身体にもたらされた差異を受け取ることによってのみ、身体を認識するというのです。例えば腕が何かにぶつかって痛いというのは身体にもたらされた差異です。それを通じて腕の存在が意識される。『エチカ』では次のように言われます。

「人間精神は身体が受ける刺激〔変状〕の観念によってのみ人間身体自身を認識し、またそれの存在することを知る」[*39]。

すると、人間の意識というものは、身体に起こるさまざまな結果だけを受け取っていて、その意味で二次的なものだということになります。意識がまずあるのではない。身体に生じる差異が意識を生み出すのです。

ではスピノザは意識そのものをどう定義しているのかというと、これは「観念の観念」、ラテン語で「idea ideae」と言われます。

例えば料理しているとき、僕たちの頭のなかには料理のイメージがあります。それは精神のなかにあるただの観念です。それに対して、「あ、自分は今、料理しているんだ」という反省、これが観念についての観念、「観念の観念」であり、すなわち意識です。意識というのは、あらかじめ精神のなかにある観念についての観念が作られたときに発生する。そういう意味で、二次的なもの、派生的なものであるわけです。この意識なるものと自己との関係がたいへん重要な問題になってくるように思います。

＊38　スピノザ『エチカ――倫理学（上）』（畠中尚志訳、岩波文庫、一九五一年、第二部定理一三、定理一九備考）

＊39　スピノザ、前掲書、第二部定理一九。

原自己・中核自己・トラウマ

熊谷　先に挙げた「痛みから始める当事者研究」にも少し書きましたが、脳科学者でアントニオ・ダマシオという人がいます。彼の一般向けの本で『感じる脳　情動と感情の脳科学』という本がありますが[*40]、その副題が「よみがえるスピノザ」なんです。

國分　「LOOKING FOR SPINOZA」ですね。

熊谷　はい。ダマシオはスピノザに影響を受けた脳科学者なんですね。前回の質疑応答の際に少し触れましたが、彼は、「自己」という言葉を三つに分けています。一つめは「原自己（proto self）」。私の理解ではほぼ、原自己イコール、コナトゥスだと思います。二つめが「中核自己（core consciousness）」。「中核自己」は原自己の恒常性が乱されたとき、歪まされた原自己と歪ませた状況の両者を俯瞰して観測しているもの。「あ、まさに今、原自己が歪んだな」、で、「歪ませた原因は何かなあ」「あ、外にいたこれだった」などと、中核自己は観測している。そしてコナトゥスには戻ろうとする力があるので、歪まされ、戻るまでの一部始終を中核自己は観察し、記録している。

先ほど國分さんは、スピノザを引いて、精神は身体そのものにアクセスできない、意識に上らないという話をされました。スピノザは、原自己そのものは意識に上らないと言っているわけですね。原自己が乱されたとき、中核自己のレベルではじめて意識が発生するんだと。ダマシオは、スピノザと同じことを言っていると思います。

國分　しかも、中核自己は記録もしているわけですね。

熊谷　ええ、記録するハードディスク自体は違うところにあるのかもしれませんが、ひとまず中核自己が記憶をしたり記録をしたりしているのではないかと思われます。そしてダマシオが言うには、中核自己からが意識なんだ、と。中核自己から意識が発生する。つまり傷を負ったときにしか、人は意識できない。人はトラウマしか意識できない。

國分　トラウマしか意識できない。

＊40　アントニオ・R・ダマシオ『感じる脳——情動と感情の脳科学　よみがえるスピノザ』（田中三彦訳、ダイヤモンド社、二〇〇五年）

熊谷　ええ。ダマシオの理屈から言えば、そうなります。もちろん、すごく大きなトラウマだけではないと思います。日常的な、ごくささやかなことでも、私たちは規則性を想定外のかたちで乱されることによって傷を負うわけです。先ほど、自己とは規則性だという説明がありましたが、まさにそうですね。原自己は恒常性を維持するという規則性を持っている。その意味では、規則性の根本です。規則性からの逸脱、これまで予測誤差と言ってきたもの、あるいはトラウマでもいいのかもしれませんが、そうしたものしか人は意識できない。ダマシオの整理ではそうなります。

この中核自己というのは、先ほどのヒューマン・フェイトを観測・記録している。だからヒューマン・ネイチャーが原自己で、中核自己はヒューマン・フェイトの部分を担っている。いやむしろヒューマン・フェイトの部分こそが、意識に上るレベルの自己になるわけです。

「自伝的自己」には他者が必要

熊谷　では、ダマシオのいう三つめの自己、「自伝的自己（autographical self）」というのは、どういうものか。私たちは傷だらけ、トラウマだらけです。意識のなかはトラウマで埋め尽くされている。そうしたヒューマン・フェイトである私たちは、傷だらけのままではあまりに痛すぎて、生きることができない。だから、傷やトラウマをなんらかのかたちで物語化したり、意味づけしたりして生きている。トラウマに意味を与える観念とかパターン、あるいは物語を使って自分のトラウマに一貫した意味を与え、物語としてトラウマをまとめ上げることでなんとか痛みに耐えて生きている。ダマシオは、そうした物語化された自己を自伝的自己というふうに整理しています。

國分　なるほど。ところで中核自己というのは必ず発生するのでしょうか？

熊谷　どうでしょうね……。

國分　例えば歩いていてどこかにぶつかって、「あっ痛い！」とかは誰にでもよくあることですよね。だから、原自己の「歪み」は生きていたら当然あるでしょう。言い換えれば、意識というのは必ず発生するのかどうか。

熊谷　まさに先ほどの綾屋さんの当事者研究が関わっているところだと思います。もちろん、いちいち中核自己が発生するわけではない。ほとんどのトラウマは私たちの意識に残らない。私たちは日々、ある程度規則正しい生活を送っていますが、それでもほぼ毎日、規則は裏切られています。しかしそれが毎回意識に上ったりはしない。だから原自己がどれぐらい乱された場合にはじめて中核自己が起動するか、という閾値のようなものがあるのではないかと思います。

そして、その閾値には、個人差がある。綾屋さんの仮説によれば、自閉スペクトラム症と呼ばれる人たちの少なくとも一部は、この閾値が低いのだということです。つまり、少しでも原自己が歪まされると中核自己が起動する人がいるということです。意識のレンジが広いというのはそういう意味です。あるいは予測誤差に敏感と言ってもいい。少しでも予測から外れたら、意識に上る。

國分　少しでも予測が外れたら、意識に上る。簡単に意識が起動してしまうということですか？

熊谷　そうですね、言い方はいろいろあると思いますが、予測誤差に敏感だとか、意識のレンジが広いなどの表現は、原自己のわずかな歪みで中核自己が起動しやすいと言い換えられると思います。先ほどの綾屋さんの言葉どおり、意識のレンジが広いというと、なんだか気づかいのできるいい人みたいな感じがしますが、じつは非常に生きることが困難になる。

國分さん、自伝的自己とはいわゆる自己のことと考えていいですか。アイデンティティみたいな……

國分　そうですね。それは、ヒューマン・ネイチャーとヒューマン・フェイトの相互作用でできあがるものと言ってもいいと思います。あるいは、昔、あんなことをしていた私も、今これをしている私も同じ私で、一直線につながっているという「自伝（オートバイオグラフィ）」を持っているという意味での「自己」。

熊谷　ええ。

國分　綾屋さんの「当事者研究と自己感」の文章を思い出しました。自分が自閉スペクトラム症だという診断を受けた帰りの電車のなかで、それまでバラバラだった、放り投げられていたような記憶が一直線に並んでいったという経験についてのお話です。*41これは時間の生成とでも呼ぶべき出来事ですね。定型発達の場合も時間の発生があったはずですが、それはあまりに幼い頃になされているから、ほとんど記憶されていない。しかし、綾屋さんの場合、偶然にもさまざまな条件が重なって、時間が時間として、直線的なものとして生成する瞬間に、三〇歳ぐらいになってから立ち会ったわけですね。自己の存在はこの一直線の時間の生成と密接に関わっていると思います。それはオートバイオグラフィの基礎になるわけですから。

熊谷　なるほど。そしてもう一つ、綾屋さんの研究で興味深いのが、自伝的自己になるきっかけとして他者が必要だというところです。私もまだつかみ切れてないところですが、これがまた非常に興味深い。

國分　あとでお話ししますが、きわめてドゥルーズ的な問題ですね。

熊谷　そうなんですね。私もまだ確信を持てていないのですが、どうも、原自己、中核自己まではひとりでもできる感じがするんです。でも、自伝的自己になるときに、どうしても他者が必要になる気がします。

無人島では自己が存在できない

國分　熊谷さんのお話を聞いていて、二つほど思いついたことがあります。

まず一つめ。自伝的自己というのは、カントが言っていた「統覚」とほぼ同じではないか、ということです。「Ich denke（イッヒ・デンケ）」、つまり「I think」ですね。「私が考える」、すなわち「私がこれらを考えている」「これらを考えているのは私である」という表象がないと、認識が成り立たない。

松本卓也さんがこれについてわかりやすい説明をしていて、なぜ「Ich denke」がなければならないかというと、これがないと、頭のなかの諸々の想念がすべて自分のものであると思えなくなってしまうからだというんですね。[*42] つまり、「私が考えている」がなければ、私が考えたり感じたりしていることなのに、それらが自分のもので

＊41　綾屋紗月、前掲書、二〇四頁。
＊42　松本卓也『享楽社会論――現代ラカン派の展開』（人文書院、二〇一八年、二八頁）

はなくなってしまう。誰かが自分のなかで語っている、考えていることになる。それらは幻聴として経験されることになります。統合失調症の場合がこれです。統合失調症の場合、「私が考える」がうまく機能していないが故に、自分の頭のなかで別の人が考えているように感じられることになる。ですから、カントだったら自伝的自己の根源的なところには、「私が考える」があると言うのではないか。

もう一つは、他者についてですね。先ほど自伝的自己の発生には他者が必要ではないかという指摘が熊谷さんからありましたが、やはり他者はここでも重要になります。

熊谷　ここでようやく他者が重要だという側面にたどり着いた（笑）。

國分　はい、やっとです（笑）。

頑張って説明してみましょう。ドゥルーズは非常に興味深いことに無人島論を書いているんですね。*43 哲学者が無人島の話をするというのは不思議な感じがしますが、なぜその話をするかというと、無人島が他者のない世界だからです。つまりドゥルーズは無人島という形象を通じて、他者について考えようとするんです。

ドゥルーズの問題設定はこうです。無人島に行って、他者がいなくなってしまうと、私はどうなってしまうだろうか？　ドゥルーズは今あるような知覚が保てなくなると言います。どういうことかというと、知覚の領域は目に見えているものと見えていないもので成り立っています。建物を見ると壁が見える。同時に私たちはその奥に空間があることを想像します。奥行きの感覚があるわけです。でも不思議です。なぜ実際には見えていないにもかかわらず、私たちは奥行きの感覚を得るのか。実際に私はそれを見ていなくても、他者が私の代わりにそれを見て、経験してくれているという感覚があるからだとドゥルーズは考えます。自分の代わりに、自分と似たような他者が見えていないものを経験してくれている。それによっていわば見えていないものの存在を想像できるようになる。この構造を拡張することによって、世界の存在の感覚が得られることになります。地球の裏側のことなどまったく見えていない。にもかかわらず、それらが存在していて、ひいては世界が存在していると信じることができるの

＊43　ジル・ドゥルーズ『無人島　1953−1968』（前田英樹訳、河出書房新社、二〇〇三年）

は、このような他者の存在のおかげだというわけです。

　では、その他者がいなくなってしまうとどうなるか？　これが無人島において起こることです。見えていない部分の知覚を託すことのできる他者がいなくなる。すると、端的に見えていないものは存在しないことになります。世界は私に見えているものに縮減される。見えているものだけが世界であり、世界は見えているものだけになってしまう。

　じつは僕はこのドゥルーズの議論に触れたとき、自分の幼い頃の体験を思い出したのです。その頃、僕には一年に一回か二回ぐらいしか会わない友だちがいたんですが、その子と別れたあといつも感じていたのは、「あいつ本当に、どこかにいるのかな？」ということでした。いるに決まっているわけです。僕には見えないどこかにいて、生活をしているはずです。でも、それをうまく信じることも想像することもできなかった。とても不思議な感覚でした。これはドゥルーズが論じているような他者がまだ十分に僕のなかに内面化されていなかったからだと考えられます。僕が知覚を託すことのできる他者が非常に少なかったか、あるいはその他者のカバーしてくれる範囲がとても狭かったわけです。こういうことを覚えていたので、ドゥルーズのこの議論が僕にはとても身近なものとして、実感をもって感じられたんですね。

あと、もう一つよく思い出すエピソードがあります。以前、ストラスブールに留学したとき、フランス語が十分にできないのでホームステイをしたんですが、そこに日本人の方がいました。彼がとても面白い話をしてくれた。彼はとある事情で、フランス語がほとんどできないにもかかわらずフランスに来ることになった。そしてこの家にホームステイしながら、毎日語学学校に通っていた。すると、フランス語ができないから、本当に何の情報も入らないのです。まだインターネットもたいして発達していませんでした。テレビも新聞も家の人の話もわからない。彼はいわば無人島にいるような状態だった。そうするとどうなるか。彼は「世界がね、家とバス停と語学学校だけになるんだ。他に何も存在しなくなってしまうんだ」と語ってくれました。非常に興味深い話だと思いました。

つまり僕が幼い頃の話は、知覚を託せる他者がまだ少なかった状態であり、ストラスブールの彼が体験したのは、一度できた知覚構造も、それを維持するための他者という資源がなくなると崩壊しはじめるということです。

さらに、自分に見えていないものの存在を信じられるためには他者が必要であるという議論を展開するとき、ドゥルーズが考えているのは外界の知覚だけではありません。自己もまたこの他者構造によって成立していると言うのです。というのも、一秒前の自分、一時間前の自分、一週間前の自分、一か月前の自分、一年前の自分……、そうした自分はもうここにはいません。私には見えません。でも、その存在していない自分が今の自分と同一であると思えなければ、そこから自己というものが成立してこない。つまり、自己が成立するためには、今ここに見えていないものを存在しているものとして扱う想像力の力が必要であり、その想像力の生成のためには他者が必要だというわけです。言い換えれば、他者という資源を失う無人島状況では、自己自体も崩壊していくことになる。

ここから考えると、先ほど紹介した「Ich denke」、つまり「私が考える」も他者の媒介があってはじめて成立すると言えるのではないか。さまざまな想念、さまざまな表象を私のものとして扱うためには「考えているのは私である」という統覚が必要だけれども、この統覚は他者によってもたらされるのではないか。カントは統覚の生成の話はまったくしていませんが、ドゥルーズの議論を使ってカント哲学を展開するとそのように考えることができる。

ちなみにカントはそもそも発生について問うことが少ないんですね。統覚が必要であるし、実際に私たちのなかには統覚があると、そういうやり方でいつも議論を進めるのです。ポスト・カント派の哲学者、ザロモン・マイモンとかフィヒテなどはそのあたりを問題視して、発生の問題を問おうとしたのですが、ドゥルーズの路線はこれと軌を一にしていると言えます。最近、ポスト・カント派の哲学者とドゥルーズを結びつける研究が出てきているのですが、それはまさしくそのとおりと言わねばならない。ただ、ドゥルーズが単に発生を考えているだけでなく、発生を他者あるいは他なるものとの関係から論じていることは忘れてはなりません。

他者との出会いの条件

國分　ところで、社会学者の大澤真幸さんが今、「社会性の起源」といういたいへん刺激的な論考の連載をされています。そのなかで霊長類研究が大きく参照されているのですが、そのなかでこういう研究が紹介されていました。[*44] 僕たちは鏡を見ると、「あ、これは自分だ」とわかりますよね。自分を自分として認識できているということです。同じことが霊長類にも可能かという研究があり、チンパンジーにはそれができることがわかっているそうなんですが、非常に興味深いことに、たったひとりで育てられたチンパンジーには、鏡による自己認識ができないのだそうです。他者の存在がもしかしたら自己認識と関わっているのかもしれないことを示唆する研究結果です。

しかも話はここに留まらないのです。ガラス越しに他のチンパンジーたちが見える環境で、チンパンジーを孤立させて育てるという実験が行われたことがあるそうです。この場合、このチンパンジーは他の個体のことを知ってはいる。しかし実際に身体を触れ合わせることなく育っていくわけですが、このチンパンジーには鏡による自己認識ができなかったそうです。たいへん興味深い研究結果です。

他者といっても、もしかしたらそれは身体的な接触などがあってはじめて他者として機能するのかもしれない。単に他者を見ているだけではダメなのかもしれない。他者が他者として現れるためにはかなり複雑な条件を必要とする可能性があることを示唆する研究だと言えます。ドゥルーズの言う他者はかなり抽象的なものですが、これを具体的なところから考えないといけないかもしれない。

熊谷　「当事者研究と自己感」のなかで、綾屋さんは、中核自己が記録した傷から自伝的自己に至るプロセスを、「他者の現れ①～⑤」という五段階に分けて考えられています。[*45] それぞれの段階で、他者の登場の仕方や、その機能が違う。例えば、「他者の現れその②」に登場するのは、診断書を発行したお医者さんです。その他者によっ

＊44　大澤真幸「社会性の起源／第五〇回・鏡像という他者」（『本』、講談社、二〇一八年二月号）
＊45　綾屋紗月、前掲書、二〇二頁。

て診断書をもらった帰り道に、それまでバラバラだったトラウマ的なエピソードが一直線上に並んだのだと言います。しかしそれですべてがうまくいくわけではなく、その後どうなるか。

綾屋さんの研究によると、綾屋さんの意識のレンジは広くて、彼女はたくさんの傷のデータをストックしてきた。しかし次々に現れる他者はそこまでではない。当然、そこには少なくない差異が生じるわけです。しかし彼女は、当事者研究によってまた別の他者に出会うことで、意識のレンジが似た仲間に出会えたと言います。まったく同じではないにしても、同程度の意識のレンジ、誤差への敏感さをもつ他者と仲間になったわけです。彼らと「そういうことってあるよね」という相互の確認作業、「たしかに世の中そうなっているよね」、「あなたってそうだよね」、「私ってそうだよね」というコミュニケーションを分かち合うことで、さらに自伝的な記憶というものが整理され、安定したと書かれています。

おそらく、他者というものを、一つの、あるいは大文字の「他者」みたいに思わない方がよいのでしょう。特定の状況において登場してくる多様な他者を、変数として分析しないといけないと思います。他者や社会を定数のように扱う他者論は、他者や社会の改変の可能性を奪い、医学モデルを導きます。これは、原時点での当事者研究におけるもっとも重要なトピックのうちの一つだと思います。当事者研究は、傷から自伝的自己を生成するための他者との出会いの条件を探究しなければいけない、と私は考えています。

國分　他者との出会いの条件というのはとても興味深いですね。綾屋さんの場合は、意識のレンジと知覚の解像度が近いということですよね。

熊谷　はい、そうだと思います。これまでの自閉症研究では、自閉症者は、他者一般とコミュニケーションを共有できないという整理のされ方だったわけですね。自閉症者は、あらゆる他者と触れ合えない、そういう前提からスタートしていた。しかしそれは、他者をあまりにも均質的に捉えています。他者とひとことで言っても、いろいろなパラメーター、変数がある。そこを整理しないと、乱暴な自閉症観が蔓延してしまいます。

多数派が多数派である理由

ばいけないと思います。

國分　おっしゃるとおり、「他者」という言葉の大雑把さには気をつけていかなければいけないと思います。

さてここまでに、「自己」あるいは「私」について話をしてきました。わかってきたのは、中核自己から自伝的自己が出てくるのではないかということ。そして、自伝的自己が発生し、いわゆる自己感を持って生きていくことができるようになるためには、他者との関係やかかわりという社会性の問題が関係するということです。そして、社会性の生成には非常にデリケートな条件があり、その条件が満たされやすい人と満たされにくい人がいる。

熊谷　ええ。端的に言えば、多数派は満たされやすい。意識のレンジが揃った者同士というのが多数派が多数派である理由です。だから、自伝的自己を作りやすい人イコール多数派であるということになります。

國分　だとすると、やはり社会の側が他者との出会いの条件をある程度決めている可能性がありますね。時代と共にそれは変化するものだと思われますが、現代は現代ならではの条件の押しつけがある。

ここから少し、社会の話に入っていきたいと思います。今日は意識のレンジと知覚の解像度を一つの大きなキーワードにしています。社会はその一定の度合いを前提にしていて、そこからズレてしまう人を排除する傾向をもつ。

例えば、かなり以前に熊谷さんから教えてもらった、OECD（経済協力開発機構）の出している「これからの教育に求められるキー・コンピテンシー」というものがありますね。これをもう一度参照してみましょうか。

熊谷 はい、OECDにおける「キー・コンピテンシー」とは、「単なる知識や能力だけではなく、技能や態度をも含む様様な心理的・社会的なリソースを活用して、特定の文脈のなかで複雑な要求（課題）に対応することができる力」と定義されます。二〇一六年のOECDによる国際学習到達度調査（PISA）などによって、日本の子どもの学力低下が明白になったため、PISA調査の枠組みの基本概念となっているキー・コンピテンシーが中教審でも盛んに取り上げられているのです。キーとして言われている能力の一つめに、社会・文化的、技術的ツールを相互作用的に活用する能力。二つめに、多様な社会グループにおける人間関係の形成能力。三つめに、自律的に行動する能力。要は、変化・複雑性・相互依存に特徴づけられる世界への対応力が必要になるんだということです。

國分　これからはそういうものが生み出せるような、あるいはそれらを使いこなせるような人間を教育で作り出してください、というわけですね。「人生の意義を見失いがちな変化し続ける環境のなかで、みずからの人生に一定のストーリーを作るとともに意味や目的を与える力」とか、「感情を効果的にコントロールする力」、とか。一〇年ほど前にわが国で打ち立てられた「生きる力」というものとも似ていますね。

熊谷　ええ。ちなみに、キー・コンピテンシーの中核に置かれているのは「思慮深さ」ともいえますね。要は、大事なのは相手の立場に立ち、みずからが所属する社会や文化を相対化して自主的な判断を行える能力です。これはことさら強調するまでもなく個人が備えているべき資質として経済合理性の下で公認されつつあります。

國分　それだけ聞くと何かいいことを言っているように聞こえますね。でも、これがすべて達成された人間とは、どんな人間なのか？　どんなものにもフレキシブルに対応できるということですよね？　それはいったいどういう人間なのだろうか。みなさん想像できますか？　熊谷さん、いかがでしょう。

熊谷　どんどん過去を切り離してゆける人ですかね。（笑）

「キー・コンピテンシー」のネガとしての自閉症

國分　前回の「意志」についての話が思い出されますね。昔のこだわりを捨て、痛みもコントロールでき、悲しくなったり寂しくなったりしても自分ひとりでなんとかできる。都合の悪い過去は全部切断することができる。そのいっぽうで「自分の人生はこういうふうにキャリアデザイン」とつねに前向きで未来志向的な物語化を行う。つまりは、そういう人物を作ろうとしているわけです。僕はこういうのはちょっとそら恐ろしいですね。

以前、熊谷さんと話していたときに、もしそういう人がいるとしたら、それは誰なのだろうかという話になって、僕はランボーじゃないかな、と言ったのです。僕が言うと詩人のアルチュール・ランボーかと思われるかもしれませんが、そのランボーではなくて、シルベスター・スタローンが演じた、ヴェトナム帰還兵のランボーです。

映画『ランボー1』にこういうシーンがあります。ランボーの恩師のトラウトマン大佐が映画の中盤で出てきて、暴れているランボーのことを地元の警察に説明するのですが、こんなことを言うのです。「彼は痛みも天候も気に留めないように訓練されている。完全にひとりだけで生きていける。奴は山羊が吐き気を催すようなものでも食う」。強烈な台詞です。

ランボーはどんな予測誤差、衝撃にも耐えられるように訓練されている。山羊ですら戻してしまうようなものでも、「食べろ」と言われたら食べられる。そういうふうに何にでも耐えられるようになった人間が、ヴェトナム戦争からアメリカに戻ってくる。しかし、そのような極限的な訓練を受けた人間が日常生活に戻れるはずがない。だから社会復帰できないのです。その悲劇を描いたのがこの映画ですね。

いかなる変化にもフレキシブルに対応し、いかなる感情も操作し、過去を切断しながら未来志向で生きていく労働者……。僕はそれはランボーのような存在ではないかと思います。ランボーのような労働者を、今、社会は作ろうとしているのではないか。そしてランボーが社会復帰できなかったように、そんな環境と条件を課される労働者たちはすでに強烈に苦しんでいるのではないでしょうか。うつ病の蔓延、アメリカで問題になっているオピオイド依存[*46]など、いくらでもその例を挙げられるように思います。

話を戻しますが、なぜキー・コンピテンシーの話をしたかというと、以前、熊谷さんが、キー・コンピテンシーはちょうどASD、自閉スペクトラム症の症状のネガになっていると指摘されていたからです。キー・コンピテンシーを反対に読めば、自閉症の条件になる。簡単に自分の感情をコントロールできる、新しい状況の変化にすぐに対応できる――こうしたキー・コンピテンシーが教育において称揚される社会では、

＊46　アメリカでは強力な鎮痛剤オピオイドの過剰摂取による死亡例が相次ぎ、社会問題になっている。

それに対応できない人たちが排除されていくのではないか。熊谷さん、数字としてこの三〇年で自閉症はどのくらい増えているのでしょうか？

熊谷 データにもよりますけれども、ASDの診断数は、三〇倍に増えています。

國分 三〇倍。はじめて聞く人は驚きますよね。化学物質が原因とかいろいろなことを言う人がいるんですが、じつはポイントは診断数なんですよね。つまり、「ウチの子は何か少し変ではないかしら」と思って親が病院に診察に連れて行く。昔なら、ちょっと変わっているかもね、くらいですんでいたのを、すぐに診察してしまう。だから診断数が増えているというわけですね。

熊谷 ええ。二〇一二年に一橋大学の佐野書院で國分さんと連続して議論させていただいた際[*47]にも、ポストフォーディズムと絡めてこんな話をしました。

情熱的に次から次へと欲望を持ちながら過去をあっさり捨て去ることができる主体こそが、ポストフォーディズム下で元気に生き延びることができる。しかし残念ながら人間の進化はそのような時代に十分にはついていけず、ポストフォーディズムに適応できる人の数は多くはない。とりわけ、鮮明な過去を生き続けている、つまり記憶が強力な存在感を放ち続けるような日々を送っていたり、過去の習慣を捨てて新しいものに適応していくのが苦手な傾向をもつ自閉スペクトラム症という一群の人々は、かつてのフォーディズム体制下では理想の労働者だったけれど、ポストフォーディズム社会においては次々に障害者のラベルを貼られているのではないか、と。

國分　ええ、よく覚えています。

熊谷　人間が今後、どんなスピードで進化していくのか私には予測がつきませんが、しかし、こうした社会の変化に誰もが息切れをしているのではないか、要求される進化のスピードについていけなくなっている印象が私にはあります。そして今、その証拠に、診断数も三〇倍に増えているのではと。同時に、全数調査に近い方法で、同じ診断基準でやると増えていないという研究もあります。このことから、実際の割合が

＊47　二〇一二年四月より同一一月まで、六回にわたりゲストを招いて行われた「熊谷晋一郎連続講演＋討議」のうちの第三回、第六回における討議（七月一日、一一月一一日。主催＝イースト・プレス）。

増えているのではなく、受診する人が増えたとか、気にしはじめる人が増えたということになると思います。

國分　そこで熊谷さんに改めて、他者の条件と社会的な排除についてお伺いしたいと思います。キー・コンピテンシーが問題含みであることは言うまでもない。ただ、これを簡単には否定できない。というのも、キー・コンピテンシーに象徴される現代社会というのは、パターナリズムの否定から生まれているとも言えるからです。社会や権威が何もかもを勝手に決める時代があり、それへの反省が、この過度に個人化した社会を生み出しているとも言えるのではないでしょうか。

求められる反中動態的な生き方

熊谷　まさに、ランボーとはどういう存在なのかということだと思います。彼は、過去を遮断するのがすごく得意で、傷だらけの過去を意識に上らせないように遮断して、中核自己を眠らせて、前向きに未来に対して展望を持って動き続けることができる人間です。めまぐるしく変わる環境の下で、次々に過去のこだわりを捨てて、そのときそのときに柔軟に適応していく。そういうランボーのような特徴を求めているのがキー・コンピテンシーかもしれません。

『中動態の世界』には、まさにそのことが別のかたちで述べられていました。傷だらけの過去を遮断するのが意志と呼ばれるものである。特に依存症の文脈で、アレントの理論を引用され、過去を遮断して、前向きに未来のみ見出す。そういう状態が「意志」という言葉の起源なんだと。

そういう意味では、キー・コンピテンシーが一つの規範になる現代社会、先ほどの話で言えば、ポスト・フォーディズムの社会は、中動態の反対の世界です。意志を持って前向きに、過去のことはすぐ忘れて、とにかく振り返らずに前だけを向いて生きていく。そうした、いわば反中動態的な個人がますます求められているということが、キー・コンピテンシーのリストからは見て取れると思います。

社会学者のリチャード・セネットも『不安な経済／漂流する個人』のなかで、こう述べています。

「みずからの人生の物語を即興でつむぎだすか、あるいは、一貫した自己感覚ぬきの状態に甘んじなければならない[*48]」。

國分さんが『中動態の世界』で書かれた意志の理論と深く関係していると思います。先ほど、意識のレンジが広い人はどうなるのかという話をしましたね。意識のレンジが狭い人もいれば広い人もいて、世の中には個人差がある。しかし、意識のレンジが広いというのは、過去の傷をやりすごすことが苦手だとも言えます。過去の傷が意識に上りやすい、あるいは、意識が立ち上がりやすい。それはとても中動態的と言えます。

しかし、依存症から回復した人はともかく、依存症のただなかにいる人は、反中動態的な生き方をしているのではないか、依存症状態から中動態的な世界に移行することが、依存症からのリカバリー（回復）ということなのではないか、という話もしてきました。

それに対して自閉スペクトラム症は、むしろ日々文字どおり、中動態を生きている存在だと言えます。「中動態を生きるということは、決して楽ではない」という綾屋さんの言葉を何度か紹介しましたが、それがここにつながってきます。

特に現代社会においては、意識のレンジが広く、過去を潜在化させるのが苦手な個人は生きづらい。いつまでも過去を忘れられないと、こだわりが強いと言われ、目まぐるしく変わる環境に適応できないと、コミュニケーションしにくいと言われます。そうした人は、キー・コンピテンシーが君臨する現代社会では、どう考えても排除の対象になるのではないか。ここは『中動態の世界』の議論と直接関わっています。

当事者研究と当事者運動

熊谷　ただ、國分さんも先ほど言われたように、このキー・コンピテンシーは否定し

＊48　リチャード・セネット『不安な経済／漂流する個人――新しい資本主義の労働・消費文化』（森田典正訳、大月書店、二〇〇八年、一一頁）

きれないわけです。なぜなら、キー・コンピテンシー以前はどんな世の中だったかといえば、國分さんおっしゃるとおり、パターナリズムの時代だったと思います。権威を持った偉い人がいて、その人がわれわれの人生を決める。そうでない人は偉い人の言いなりになるしかない。簡単に言えば、そうした世界です。すでにお話ししたとおり、特に私のような障害を持っていると、偉い人の言いなりになるしかない時代が、かつてありました。

おそらく七〇年代まではそうだったと言えるのではないか。けれども、それ以降、少しずつ変わってきました。とりわけ八〇年代に、過去のしがらみや、パターナリズムから解放させるような社会運動が起きた。それでようやく私たちは自由を得た。まさに能動的に生きられるようになった。それまでは、ずっと施設とか病院のなかに幽閉されていたわけです。それが、そんな昨日までを捨てて、世の中でいろいろなことができるのだと感じられた。自分にはいろいろな潜在能力があり、可能性がある。ようやく解放されたのだ、そう思わされる動きが障害者運動に限らず、当事者主権という訴えのもと、起きたのです。

過去にそういう流れがあったからこそ、私個人はやはり非常に救われたわけです。この動きというのは、本当にありがたかった。主権は私にある、という能動的な時代の風なくして、解放されることもなかった。私だけでなく多くの人がそう感じたでしょう。それは事実です。ただ、脳性麻痺という障害に限っていえば、当事者による激しい運動を含め、社会のなかで大きくクローズアップされた時代は七〇年代がピークでした。今は、あえて言えばブームが去ったと言えます。それと入れ替わるようにして注目され、診断数が急上昇しはじめたのがASD、自閉スペクトラム症だったわけです。

ある時代に注目される障害には、その時代の規範のネガみたいなところがあるのかもしれません。私と綾屋さんの共同研究というのは、わがことながらその点でも面白いと思います。私はキー・コンピテンシーで解放されたところがある。彼女はキー・コンピテンシーによって排除されはじめた時代を生きている。そういう違いがあります。簡単に、どちらがいいとか悪いとかは言えませんが。

國分さんの先ほどの問いに厳密に答えることはできませんが、今起きている具体的な排除そのものを簡単には否定しきれないということです。いわば「反中動態的な規範」の時代に私たちは生きていると言えるでしょうね。

國分　当事者主権という話が出たところで、熊谷さんに改めてお聞きしておきたいことがあります。

カール・マルクスの「哲学者は世界を解釈してきたにすぎない。大切なのはそれを変えることだ」という有名な言葉がありますが、熊谷さんは『臨床心理学』誌の連載「当事者研究への招待」のなかで、「医療が『私を変える』ための実践であり、運動が『世界を変える』ための実践だったとするならば、研究とは、『私と世界を知る』ための実践とも言える。」と表現されていますね。*49 熊谷さんのなかで、「当事者研究」と「当事者運動」は、いわゆる両輪としてあるのでしょうか。

熊谷　当初私は、その二つは補完的な関係にあって、「知ること」と「変えること」は両輪として循環しなくてはならないと整理していました。今だから言えることなのですが、当事者研究だけでは、社会への過剰適応と際限のない自己反省に陥ってしまうのではないかという、私自身が持っていた当事者研究への過小評価が影響していたように思います。

この認識に変化が生まれたのは、自分の認識上に、「当事者研究」には「当事者運動」の要素が含まれていると、最近になって気づいたからです。当事者研究のルーツを辿れば辿るほど、つまりべてるの家の向谷地生良さんや、ダルク女性ハウスの上岡陽江さんのキャリアを辿れば辿るほど、当事者研究には、当事者運動やフェミニズムをはじめとする「社会運動」の遺伝子が脈々と流れていることがわかってきたのです。

認知行動療法と当事者研究

國分　当事者研究と当事者運動は両輪としてあると考えると、二つは別々のものだということになる。しかしそうではない。前者に後者は含まれている。熊谷さんならで

＊49　熊谷晋一郎「当事者研究への招待／第一回・生き延びるための研究」（『臨床心理学』第一五巻第四号、二〇一五年七月、金剛出版）

はの非常に深い説得力のある指摘ですね。

熊谷　決定的な意識の変革の契機になったのが、平井秀幸さんの『刑務所処遇の社会学』という本でした。*50 平井さんはここで、ネオリベ的秩序および統治のテクノロジーとして、CBT（cognitive behavior therapy）、認知行動療法が世界中で流布している現状を批判的に論じています。また、その本の脚注で、私が考えていることに言及してくださっていた。刑務所での薬物依存症プログラムの現場をフィールドワークしながら「認知行動療法」と「当事者研究」との差異に言及してくださったのですね。その記述から、当事者研究のなかにある当事者運動的な要素を再認識したのです。

國分　認知行動療法はまさしく能動／受動の図式のなかにあって、話す側だけが変わる。ところが、当事者研究で変わるのは、確実に、そして圧倒的に聞く側ですね。

熊谷　そうなんです。グループで行う認知療法とさほど変わらないように誤解されることもあるのですが、そうではない。例えばべてるの家の場合も、当事者研究で自分のことを発表するさい、発表者は何かものすごい発見があるわけではなくて、見方によっては単に自己紹介をしただけで、聞く側からのフィードバックで多少の発見がある程度。じつはそんなことは少なくありません。むしろ研究を発表することで変わるのは、國分さんが今おっしゃったように、聞く側の認識なのです。例えば、「そうだったのか……君はそう考えていたから家に火をつけたのか」というように。そしてみんなで順に話すことによって、環境側がどんどん変化していき、かつてみなが共有していた価値観や知識、つまり集合知がアップデートされていく。

國分　中動態的な過程が発生しているわけですね。中動態的におのずと変化が湧き出してくる。

熊谷　当事者にとっての障壁は、例えば道路の段差などの物理的なハードルだけではありません。世の人々が共有している集合的な価値観や知識が立ちはだかることもある。集合的な価値や知識、言語がアップデートされていくのが当事者研究の現場ですが、そのことからも、当事者研究が社会を変革する力がないわけではないことがわか

＊50　平井秀幸『刑務所処遇の社会学』（世織書房、二〇一五年）

りますし、むしろそれはじつに当事者主権的な運動でもあるのです。要は、当事者研究による言語や価値のアップデートは、すなわち社会変革そのものではないかというのが、今の私の理解なのです。

國分 運動と研究を両輪と考える従来の考え方を斥けるこの考え方はたいへん興味深いし、説得力があります。僕自身、哲学的には一元論の立場を取っているということも関係あるかもしれない。そもそも「運動も大切だけれど研究も大切」「研究も大切だけれど運動も大切」っていう二元論はちょっと嘘っぽい。

熊谷 どちらも侮っているというか……。

國分 二元論は何かを隠蔽していますよね。その意味で熊谷さんが、「研究」の徹底によって「運動」の要素が顕現するという認識に変わってきたというお話はとても興味深い。お聞きできてとても良かったです。

ネオリベ的慎慮主義

國分　熊谷さんの認識を確実に変えた平井秀幸さんの『刑務所処遇の社会学』に話を戻しましょうか。僕も熊谷さんから教えていただいて読んだのですが、じつに面白かった。僕はまったく知らなかったのですが、こういういう言い方をしてよければ、犯罪者をどう扱うかについて、二〇世紀後半に大きなパラダイムシフトがあったわけですよね。

熊谷　ええ、刑務所に入れて罰するというものから、認知行動療法によって自己コントロールさせるという方法に変わっていったのです。

國分　先ほど熊谷さんが話された社会の変化とも並行していますね。この変化はそうたやすく否定すべきものではありません。平井さんはこんなふうに書かれています。少年院や刑務所といった隔離施設に収容して倫理観や人格を書き換えようとする介入には、じつは再犯予防効果がないことがエビデンスをもって証明されているのだから、このやり方にお金を使っても無駄なのだという右派的な主張と、彼らには彼らの人生があって反社会的行為に手を染めたのだという左派的な主張が結びついて認知行動療法の刑務所への応用が始まったと。右派と左派が結びついたところがポイントですよね。

熊谷　そして、それこそがネオリベラルなのだということですよね。

國分　まさにそうです。繰り返しますが、お金をかけずに効果が上がるというのは、そう簡単に否定するべきことではない。とはいえ、結局そこで求められている人物像とか規範は、やはり先ほどのキー・コンピテンシーと結びついている。

熊谷　ええ。認知行動療法が求める人物像は、キー・コンピテンシーと同じく、とても慎み深く自分をいつも反省し続けるというものです。それからもう一つ、テクニックということですよね。それこそライフハックではないけれど、生きるためのテクニックを更新し続けられる人です。

認知行動療法は精神分析と比べて、過去を深掘りしません。トラウマフォーカスな認知行動療法もありますが、中心的には取り扱わない。基本的には現在および未来に向かって人間を作り変えようとするテクノロジーだと言えるでしょう。

國分　思慮深い人間。ある種のストア派みたいな感じですね。ストア派みたいな人間を作ろうとしているのかな。

熊谷　平井さんは「慎慮主義」という言葉を使っていますね。

國分　平井さんは慎慮主義の問題点は何だとおっしゃっているのですか。

熊谷　「社会的なものの自己コントロール」と表現されていますね。

いろいろな犯罪がありますが、犯罪を起こした人が刑務所に入ります。そうすると、現代的な刑務所では、ただ罰するのではなく、慎慮主義を身につけてもらって、コミュニティのなかで暮らすことになります。しかし犯罪には、貧困や差別のように、ほとんど自己コントロールできない社会的な排除が影響しているものが少なくない。にもかかわらず、それを個人で乗り越えさせようとしている。ここにそもそも無理があるというのが平井さんの主張です。

社会の変化というのはコストがかかるから、個人のコントロールでなんとかしようとしているということです。これは、いわゆるカッコつきの「ネオリベラル」な思考様式ですよね。平井さんはアドヴァンスト・リベラリズムという言い方をしていますが、国の支出をなるべく抑え、「やはり自己決定、大事だよね」と個人の主体性を称揚しながら、「でも自己責任でね」と社会的なことのしわ寄せを個人にやらせている。すごく簡単に言うと、そういう問題点の指摘です。

國分　慎慮主義は明らかに、意識の特定のレンジ、知覚の特定の解像度を当然の理想としているように思いますね。

熊谷　少なくとも「鈍感」で「うっかり」していないと、この理想に沿うのは難しい。

國分　人間の感覚をある閾値のなかに切り詰めようとしていると言ってもいい。

熊谷　そうですね。慎慮主義というと、すごく繊細で敏感なイメージですが、ここで言われるネオリベラルな、あるいは、キー・コンピテンシー的な慎慮主義には、もともとの「慎慮」という言葉とは少し異質な、ニュアンスとしては、何か反中動態的な軽薄さを感じますね。

國分　たしかに軽薄な感じはある。でも、僕はまだうまく言葉にできないな。さっきはストア派と言いましたが、やはり、違いますね。ストア派が言っていたのは、もっと敏感であれということだと思う。しかし、言葉のうえではキー・コンテンピシーもまた、敏感であれみたいなことを言っているわけですよね。何が違うのかな。

熊谷　何かが違うと思う。ヒューマン・フェイトに注ぐ眼差しが違うというか。

傷の否認と消費行動

國分　ただ、繰り返しになりますが、思慮深いとか慎慮主義的であることが必ずしも否定されるべきではありません。「これは慎慮主義的だ」という言い方で批判するべき対象も間違いなく存在するとは思いますが、これは非常に繊細に扱わねばならない問題です。パターナリズム批判の問題点もこれに似ているかもしれません。権威がすべてを決めるのは間違っている。けれども、だからといってすべて個人に決めさせればよいということにはならない。人に選択を委ねればそれで解決というのは、まさしく以前お話しした「意思決定支援」が抱えている大問題です。

この話を考えるうえで直接役に立つかはわかりませんが、今の社会は多様でもなければ、人間が敏感でもないことは指摘できると思います。東浩紀さん風に言えば、それこそ「動物化」していると言えるのかもしれない。二一世紀の人間は、Amazonで何かを買ったら一日もしないうちに届いてしまうような、いわば欲望が瞬間的に満たされる空間に生きている。そこでは、欲望が自分の心のなかで醸成されるような溜めも、発酵されるような時間もない。すべてがダダ漏れになっている。溜めを許されない社会があるいっぽうで、なにやら「慎慮」が求められている。そこで想定されている「慎慮」とはいかなるものだろうか。

こういう話をしていると、一つの実験を思い出すんです。ハイデッガーが『形而上学の根本諸概念』で紹介している、おなかに切り目を入れられたミツバチについての実験です。蜜をいっぱいに充たしたグラスの前にミツバチを置くと、ミツバチは蜜を飲みはじめる。そのときにおなかに切れ目を入れると、おなかから蜜が溢れ出ているにもかかわらず、ミツバチはそのまま蜜を延々と飲み続けるというのです。そしてずっとおなかから蜜が流れ出ているからいつまでも満腹感が訪れない。残酷な実験ですが、ハイデッガーはこんなふうにコメントしています。

「蜜蜂はこのことを確認もしないし、さらに――それぐらいはしてもよさそうに思えるのだが――腹部が欠損してしまっていることの確認さえもしない。そんなことは全く問題にならない。」

「まさに、蜜が直前的にあることを確認しないがゆえに、むしろ蜜蜂は要するに餌によって、とりさらわれ（higenommen）ているのである。[*51]」

僕は二一世紀の人間に対して、この実験台にされたミツバチのようなイメージを持っています。ある種の傷の否認（おなかの切れ目に気づかない）、過去の参照の放棄（どれだけ飲んだかがわからなくなっている）、そして、終わらない労働（いつまでも蜜を飲み続ける）。

熊谷　たしかに、ヒューマン・フェイトというか、精神分析がこれまでやってきた、

＊51　M・ハイデッガー『形而上学の根本諸概念――世界‐有限性‐孤独』（ハイデッガー全集第二九／三〇巻、川原栄峰・セヴェリン・ミュラー訳、創文社、一九九八年、三八四頁）

傷への洞察を放棄する傾向があるように思います。そこには本来、傷は人をここまでにさせるのだとか、逆に、傷によって人というのはここまでになれるのだといった、それなりに豊かな理解も含まれるはずだと思います。

傷の否認の病というのは、まさにそうですね。依存症も否認の病と言われますが、能動態にも、意志にも、傷の否認を伴った慎慮主義みたいなものがあるのではないか。だから、暴れてしまう人、長く話してしまう人、急にフラッシュバックを起こして、周りからはよく理解できない行動パターンを取る人、そういう人に対する許容度がとても下がっている。そのいっぽうで、しきりに、多様性、ダイバーシティというわけです。

國分　今ほど多様性に対する寛容さがなくなっている時代はないと思いますが。

熊谷　慎慮主義は、他者を尊重せよ、多様性を尊重せよ、といいますが、平井さんによれば、それと共に「多様性を認める——ただし、暴れる人以外」というアドバンスト・リベラリズムが蔓延している。そうした狭さが、今の時代の慎慮主義の基調にある。

さっき國分さんがおっしゃった「Amazonで買う」という行為とも関係しているでしょうか。一つの考え方としては、『暇と退屈の倫理学』の消費と浪費の違いがありますが、これは消費という問題と関わっているのかなという気がしますが、いかがでしょうか。あるいは、この講義に関連する言葉で言うならば、アディクションとして買う。コナトゥスを満たすために買うわけではない、ということになるかもしれませんね。そう考えると、傷の否認と、先ほど國分さんが言われた「動物化」と記述することができるような消費行動というのは、相性がいいことになるのかもしれない。

國分　なるほど。何をもって動物化と言うかはともかくとして、消費と傷の否認との相性がいいというのは、熊谷さんがおっしゃるとおり、たしかにそういう気がします。

そろそろ時間でしょうか。それではいつものとおり、みなさんから何か質問などありましたら、どうぞ遠慮なくお願いいたします。

質疑応答

質問1
認知行動療法のプロセスは中動態的ではないか？

國分　前回にも質問をしてくださった医療関係者の方の手が挙がっています。よろしくお願いいたします。

――こちらこそ、よろしくお願いいたします。質問が二つあります。

一つめが、最後に出てきた「認知行動療法」の話です。僕は医療者という立場上、擁護せざるを得ないのですが、刑務所における認知行動療法というのは、おそらくかなり特殊な例だと思います。精神科的には、もう少しご本人が生きやすくなるようなポジティヴな文脈で使われているのではないか。

認知行動療法は、非中動態的というか、中動態的なあり方を排除するというお話でしたが、じつはその過程で行われていることは非常に中動態的ではないかと思うのです。綾屋さんふうに言うと、「内的なアフォーダンス」と「外的なアフォーダンス」が絡まり合って形成された「うっかり」の行動パターンをもう一度中動態の世界に置き直して、いわば、ほどいて結び直すというのが認知行動療法で、つまり治療の過程では必ず中動態の世界に誘っているのではないかと私は思うのです。結果として生成されたパターンは中動態的ではないけれども、パターンを生成するプロセス自体は中動態的ではないだろうか、これが第一の質問です。

もう一つの質問は、意識のレンジと解像度の問題です。最近のテクノロジーでは、自分の身体の恒常性をモニタリングできます。まさに血糖値が上がった下がったみたいなことをリアルタイムでモニタリングできるようなものが出てきつつあります。身体についてのこういった知覚のあり方をどういうふうにお考えになるか、教えてくださいますか。

ちなみにこのテクノロジーを実際に使って自分の身体をモニタリングした糖尿病の

患者さんがどういう反応をするかというと、大きく三通りあります。一、全然気にしない人。二、血糖値が上がってしまうから、ご飯が食べられなくなってしまうという人。これは、意識のレンジが広くなったために食べられなくなってしまったという例だと思います。三、意識のレンジが広がったことで、逆に自分が何を食べれば血糖値が上がるのかということを理解できるようになり、医者のアドバイスを必要としなくなる人。つまり、意識のレンジが上がると、自己を認識するために他者を必要としなくなるということだと思います。こうした違いをどういうふうに考えたらいいのか、ぜひご意見をいただけたらと思います。

熊谷　難しいですね。

國分　繰り返しますが、僕は認知行動療法を全否定するつもりはまったくありません。ただ、非常に繊細に扱わねばならない難しい問題がそこには絡んでいると思います。

熊谷　非中動態が遮断する行為の原因を、通時的なものと共時的なものに分ける必要はありそうです。ＣＢＴ、認知行動療法によって、今ここで発せられる共時的な行為の原因は遮断が解除できそうです。ご指摘のとおり、行為原因のうちの共時的な要素の遮断解除は、認知行動療法でカバーされているような気がします。それに対して、時間を超えて作動する通時的な行為原因、いわば傷の記憶、言い換えるとフェイトの部分もまた重要です。こちらの遮断解除は、認知行動療法においてどれくらい成功しているのでしょうか。

遮断には共時と通時の両方あると思います。綾屋さんが研究しているのは両方だということですね。つまり遮断できないといったとき、共時的なアフォーダンスも遮断できないし、通時的な過去のトラウマも遮断しにくいわけです。

おそらく今日の最後の議論は、フェイトの部分、過去の傷みたいなものが現在の行動や認知に与える部分を、認知行動療法がカバーできたかどうかというのが一つのテーマだったのかなと思っています。

國分　熊谷さんは、当事者研究についてかなりラディカルなことを考えていると思うんです。例えば、当事者研究では話をしている人より、話を聞いている人のほうが変わるのだということをおっしゃっていますよね。べてるの家の例を出してお話ししましたが、自分の問題を解決するためにやっている研究かと思いきや、むしろ、研究を聞いている人の方が変わってくる。おそらく、社会全体が当事者研究から学ぶべきだというのが熊谷さんの考えではないでしょうか。

熊谷　そういうことですね。

國分　社会そのものが当事者研究を行わねばならないというような、かなり大きなことをおっしゃっている。そういうことまで考えさせるような可能性が当事者研究にはあるわけです。

いっぽう、認知行動療法の場合は、主客モデルというのが根強く残っている。聞いている人はお医者さんとして聞いていて、患者さんは患者さんとして話している。治す人／治される人という図式自体はそのまま維持されているわけです。もちろんそれはそれでいいわけです。けれども僕らが視野におさめている当事者研究というのは、いわばそういう社会そのものを変革する、というような意味合いのことをも考えているわけですね。

熊谷　じつは平井秀幸さんは、『刑務所処遇の社会学』の註で、そこにも触れているのです。認知行動療法批判をしたあと、では当事者研究はどうかという問いを立てられている。そこには明確な答えを出されてはいません。というのは、現場的には、当事者研究というのは、認知行動療法をやっているように一見、見えるからです。しかし、もし当事者研究が社会的なものの自己コントロールではなく、社会の問題は社会に返すという契機になれば、そこで起きていることは認知行動療法とは違うことではないかと、平井さんは指摘しています。

「ここで重要なのは「べてるの家の」CBT（認知行動療法 cognitive behavior therapy）が「本人の（『変えられる』部分ではなく）『変えられない部分』を把握しようとする」モメントと、「（本人ではなく）周りが『変えられる』部分はどこかを把握しようとする」モメントの両者を有しているという点である」[*52]

「誤解を恐れずに言えば、リスクはひとりひとり異なる「社会的」文脈に埋め込

＊52　平井秀幸、前掲書、三六六頁。

まれたものである以上、リスクのアセスメントは徹底して個人化されたうえで、リスク回避のための認知行動変容は徹底して社会化される必要があるのだ。[*53]」

この部分を読んで、私も「ああ、そうか」と、考えを整理できたところがあります。

國分　おっしゃるとおり、社会の問題を社会に返すというのは非常に重要なことだと思います。今のままだと、なんでも自己責任で片付けられてしまいかねませんからね。

そして二つめのご質問の、「身体のモニタリング」というのは、なかなか難しいですね。ただ、テクノロジーを使った身体のモニタリングを、意識のレンジが広まったことと同じに考えるのは少し難しいかなと思いますが、どうでしょうか。

——今の段階では、そうだと思います。ただ、昔は検査のたびに毎回採血しては結果を待たなければならなかったことが、今では待たずにすむわけです。そうした技術の拡大は、今後さらに進んでいくと思います。未来において、われわれの知覚、身体にアクセスする方法がどんどん無意識化していくのではないか。おそらく、向こう何十年とかの間に、自分の身体の感覚が変わっていくことについて考えなくてはいけないのではないか。

國分　それはそうですね。ただ、これをどう捉えるかは難しいですね。

熊谷　先ほどおっしゃられたように、知覚されるものが変わるのでは、ということですが、身体変容の一例としてある程度は整理することができるかもしれません。ただ、計測機器を身にまとった新たな身体にもまた慣れるだろう、という気もします。身体図式は不変ではないからです。つまり、新たな身体に慣れればまた意識のレンジが狭くなる。身体変容によって、一時的に意識のレンジが広がり、アウェアネス、つまり「気づき」の意識が高まるかもしれませんが、拡張された新しい身体に慣れると、また意識のレンジは狭まるのではないか、という気がするのです。今日の個人差としての意識のレンジの話と、テクノロジーによる身体感覚の拡張とか身体変容に伴う一過性の意識のレンジの広がりという話とは、少し違っているのかなと感じました。

＊53　平井秀幸、前傾書、三六八頁。

――なるほど、どうもありがとうございました。

質問2　性・傷・中動態はどうかかわり合うのか？

――お話、ありがとうございました。アダルト・ビデオを作っている二村ヒトシです。お二人にお聞きしたいことがあります。

性犯罪、例えば痴漢をしてしまう人間は完全に認知が歪んでいるので、認知行動療法的に治そうということに、僕は賛成です。けれども、痴漢をやってしまった人たち、これからやってしまいかねない予備軍の人たちの心の傷について、本当にこのままでいいのかという思いもあります。

國分さんが言われた、欲望が醸成される〝溜め〟がないという問題は、残念ながら、ポルノが制作される過程でも起きていることです。簡単にAV女優になれてしまう、インターネットで募った出演者の身体に危害を加えるポルノを簡単に作って自分でインターネットで配信できてしまう。そういう世の中で、ポルノやセックスワークを撲滅するべきだという動きがあります。それは、やはり「傷」の問題でもあると僕は思います。ポルノが存在することに傷つく人がたくさんいる。僕はポルノを作っているので、とてもよくわかります。ですが、やはりポルノはゾーニングされたうえで世の中に必要だろうとも考えています。

　ただそのいっぽうで、男の能動性がはらむ罪悪感についても、とても気になっています。リューベン・オストルンドという監督の『フレンチアルプスで起きたこと』という映画では、男であることの深い罪悪感が描かれていました。性の問題と心の傷と中動態は、おそらく相互に関係し合っているのではないかと思うんです。お二人は、どう思われますか。

國分　すごく大きな話ですね。今の痴漢のお話は、おそらく痴漢だけじゃなくて他の性犯罪も関係してきますよね。

――ええ。すべてのセクハラもおそらくそうかと思います。

國分　先ほどの、犯罪者をどう処遇するかという問題とも結びついていると思います。以前は、罰して、「さあ反省しろ、別の人間になれ」とやっていたが、それでは変わらないことがわかった。そして明らかに、性犯罪者は再犯率が高い。最近では単にGPSを装着させて行政につねに居場所を知らせるようにしておくとか、フランスなどでは注射をして性欲を抑えるということもすでにしています。もはや、治さない。

――それが、ネオリベ的だということですか？

國分　ええ。その方が簡単で、お金がかからないということですよね、GPSや注射でいいわけですから。でも、はたして本当にそれだけでいいのか、僕は、明確に態度を決められません。治さないということは、つまり人間に期待しないということですよね。それでいいのかもしれない。なぜなら、GPSや注射という対策をとれば、他人に迷惑をかけにくくなるわけですから。でも、本当にそれでいいのかという気もする。そこは、今日言っていたとおり、僕も態度決定できない。やはりこれはキー・コンピテンシーを考える場合と同じく、最先端の問題だと考えています。

痴漢の問題、性犯罪の問題、これはもう絶対、許せないわけです。当然憎むべき犯罪であり、嫌悪感も持ちますし、非難しなければならないことです。性犯罪などの場合に認知行動療法的な方法が受け入れられやすいのはそのためではないか。だからこそ、僕たちの認知行動療法的な方法についての態度決定が難しいわけです。

――そういう方法が採用されてしまうのは、ある意味、社会が傷ついているからでしょうか。

國分　もちろん、性犯罪は社会に大きな傷を与えると思います。『中動態の世界』でも最初の方で取り上げました。学者はよく、意志とか責任ということを大づかみに理解し、安易に批判して「そんなものは存在しないのだ」と簡単に言ってしまうことがあります。けれども実際、自分や、あるいは自分の大事な人が性犯罪の被害にあったら、あなたは同じことを言えるんですかということですよね。そうではない意志とか責任についての理論は意味がない。どうしても、ここを経ないといけない。

GPSを着けて注射するだけというのは、責任を取らせないということです。それでいいのか。繰り返しますが、いい気もします。被害が起きにくくなるのだから。でも、やはりそれだけでいいのだろうか。そこは本当に僕はわからない。僕だけでなく、世の中の誰もが答えが出せていないところだと思います。

熊谷　ありがちな言い方に聞こえるかもしれませんが、傷は被害者としてまず負うわけですが、その傷をなんとかしようとして加害者になるというのは、まま起き得ることです。虐待、あるいは痴漢もそうかもしれませんが、犯罪と呼ばれるものの多くは被害者でありまた加害者でもある場合に起きる。

中動態の話に引きつけるとしたら、おそらく、責任の話だと思います。被害者でもあり加害者でもある私という存在が責任を負うということはどういうことか。

また、依存症の方たちための回復の指針である、「AA12のステップ」というプログラム（一三七頁）では、バランスを重視します。あなたは被害者一〇〇パーセントでもなく、加害者一〇〇パーセントでもない、被害と加害、両方の要素を持った存在だ、と。そのうえで、責任を取っていく。自分が加害をしてしまった人のリストを書き上げる。実際、日本で犯した罪を償うためにわざわざ在住のアメリカから戻ってきて、日本で12ステップの会に参加するというケースもあります。言うまでもなく、「被害者でもあるわけだから仕方がないんだ」というような開き直りはありません。被害者でもあり加害者でもある自分が、罪を負って償おうとすることを重視しています。

これはプロセス自体が回復の重要な構成要素になる、おそらく、意志ということと切り離された責任の取り方の一つの例だと思います。私もまだつかみきれてないのですが、そこにヒントがあるという確信があるのですね。これについて考えていくのは途方もなく長い作業になると思うのですが、もし、ある種の括弧つき「ネオリベ」的な未来にノーと言うならば、どうしてもここを探究しなくてはならない、と私は思うのです。

――ありがとうございました。

質問3
「傷」と「他者」について

――原自己とか中核自己とか自伝的自己とか、いろいろな自己が出てきました。そこで、まず「傷」についてお聞きしたいと思います。そもそも傷とはどういうものなのか。例えばランボー、彼はヴェトナムに行って人殺しをさせられたり、要は、過去に大きな傷を負っているというお話でした。その場合、傷というのが社会に馴染めない人の傷だとすれば、中核自己においてもやはり他者というのは前提されているのではないか。それが傷であるということは他者が前提とされていると思うのです。他者一般としてパターナリズム的な、あるいは慎慮主義的な他者が前提されたうえで、それが傷なんだ、それが苦しいって思ってしまうのであれば、中核自己においても他者は前提されているのではないか。いかがでしょうか。

國分　前提というか、傷とか歪みがあったときに、それを察知するかたちで中核自己は作動するということじゃないかなと思いますね。

熊谷　そうですね。同時に今のご質問が鋭いのは、中核自己は、いつまでも生まれたままの原自己からの逸脱のみをモニターしているわけではない、ということではないでしょうか。人は、さまざまな経験をするにつれて、社会的な要素などによって自分の規則性を膨らませていきますよね。自分はこうなっているとか、世界はこうなっているという知見が増えれば増えるほど、当初は原自己しか自分に関するものがなかったのが、だんだんと規則性の束として自分というものが膨らんでいく。その膨らんだ自己をダマシオはあまり表現していません。もしかすると自伝的自己の一部と考えているのかもしれませんが、そうして膨らんだ規則性の束としての自己みたいなものからの逸脱も、中核自己はモニターしていると思います。

――どう考えたらいいのか……。

とですよね。

熊谷　基準のなかにモニターする中核自己があるのではなくて、モニターされる側の基準のなかに社会的なものが後天的に織り込まれることはあるのではないかというこ

――しかも、それは他者一般的な基準になるのではないか。前回、モル的とか分子的という話がありましたが、分子的な他者であれば、それは傷として認識されずにそのまま受け入れられると思いますが、モル的な他者だと、傷として受け止められて中核自己が起動してしまうのではないか。それは、他者一般のような、社会が押し付けてくるような慎慮主義的な他者とどこが違うのか。

國分　「傷」ということで僕たちが考えていたのは、まさしく予測誤差と言い換えてもいいようなものです。生まれるのも、生まれたのも傷だし、おなか空いているのに何ももらえないのも傷だ、と。ずっと毎秒毎秒傷がある、そういう意味で使っているわけです。

――例えば、ミルクが飲みたいけど飲めないというのは、単なるサーモスタット的な印象しかない気がします。でも、私の傷であるというときには、やはり他者との関連が必要になってくるのではないでしょうか。

國分　それはモル的に自己を考えるからではないでしょうか。分子的に考えたときには刺激がすべて自己のなかに反復されている。これはドゥルーズの考えたモデルですが、彼はどんな刺激も自己のなかで反復されていて、それをざっくりまとめ上げたときに欲動と言えるのだと言っています。僕はそれで正しいと思っています。サーモスタットみたいに上がったり下がったりして痕跡が残らないというよりも、あらゆる興奮は反復されて、全部残っていくということではないか。それが集積して、ある種の自己とか自我とか、あるいは簡単に言えば性格のようなものが作られるということではないでしょうか。

その意味では、僕たちが言っている傷というのは、フロイトが言ったこととほとんど一緒です。フロイトは、人間の性格というのはどのような欲望を断念したか、その集積によって性格が決まると言ったわけですが、それをもう少し細かく考えてみたという感じですね。

——その欲望には他者が必要ではないのでしょうか。観念として欲望という場合、やはり観念には他者が必要な気がしてしまうんですが。

國分　欲望も刺激によって生まれますよね。例えば、血糖値が下がるという、それも刺激です。そういう刺激は、もしかしたら自分にとっては他者かもしれない。僕たちは「他者」という言葉をすぐ人間としての他人のことみたいに使ってしまいます。けれども、そうではなく、自己でないものという意味で、自己以外のすべてを指して使う場合もあるわけですね。

そうすると、そもそも自己と自己でないものがどうやって分かれるのかという問題が出てきます。それについてずっと話し合ってきているわけですけれども、ここはなかなか答えが出せていませんね。

――もう一度よく考えてみます。どうもありがとうございました。

第四章

中動態と「責任」

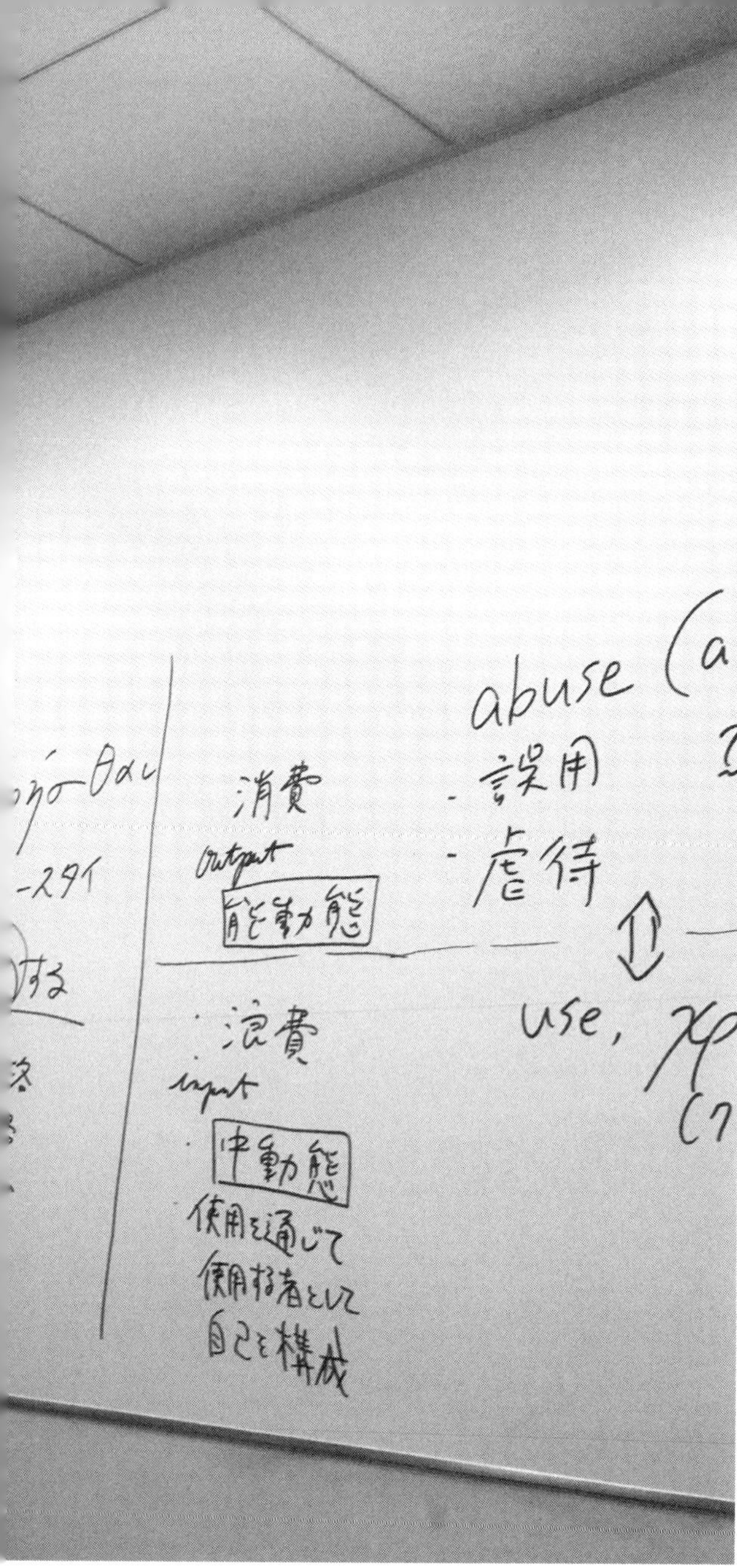
消費
output
能動態
浪費
input
中動態
使用を通じて
使用者として
自己を構成
abuse
誤用
虐待
use,

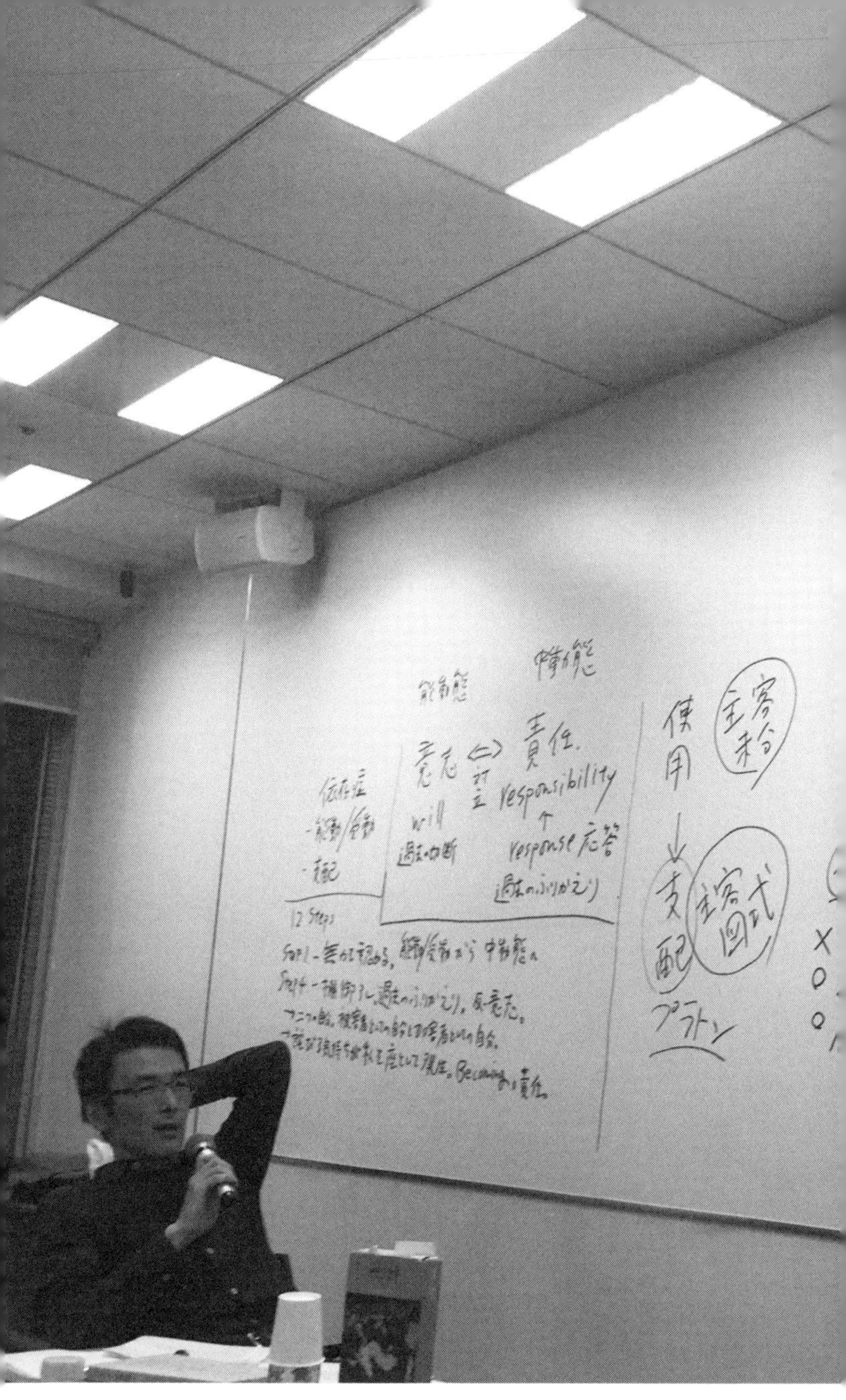
能動態
中動態
意志
責任
will
responsibility
response 応答
使用
主客未分
支配
主客図式
プラトン

國分　みなさん、こんにちは。

今日で熊谷さんとのこの連続講義も最終回になります。そこで、最初に少しまとめて僕から話をさせていただきたいと思います。今日はじめてこの連続講義にお越しいただいた方もいらっしゃるかと思いますし、まずは簡単に今までの復習などをし、そのあとに熊谷さんと共に「自己」と「他者」の問題をまた別の角度から考え直してみることにしたいと思います。

ではまずは私から話をはじめますね。熊谷さん、みなさん、よろしくお願いいたします。

「意志」と当事者研究

國分　僕らは今、能動態と受動態、つまり、「する」と「される」の対立でなんでも説明できると思っているけれど、よく考えるとこの対立はきわめて使い勝手が悪くて、じつはいろいろなことが説明できないのだという話を、今回の連続講義の冒頭（本書第一章）でしました。それはなぜなんだろうと調べていくと、この対立は言語の歴史から見るととても新しくできたものだということがわかります。というのも、インド＝ヨーロッパ語の歴史を遡っていくと、もともと対立していたのは能動態と中動態であって、受動は中動態の担っていた意味の一つに過ぎなかったからです。

では中動態とはいかなるものか。『中動態の世界』ではエミール・バンヴェニストの定義を紹介しました。それによれば、中動態とは、主語が動詞の名指す動作の場所となっているときに用いられる態でした。これに対し、中動態に対立する場合の能動態は、動作が主語の外で完結する際に用いられる。例えば、何かを「曲げる」とか、何かを「与える」というのは能動態です。なぜなら、作用が主語の外で完結しているからです。それに対して「惚れる」、「欲望する」などは中動態です。これらの場合、私という主語は、動詞によって名指されるプロセスの場所になっている。

このような能動態と中動態という対立から、能動態と受動態という対立への変化はいったい何を意味しているのだろうか。これに十分に答えるのは困難であるわけですが、これまでにお話ししたのは、この変化が意志の概念の台頭と平行しているのではないかということでした。能動と受動の対立は意志の存在をクローズアップするように思われる。実際、意志の概念もまた古代ギリシアには存在しない、比較的新しい概念でした。

前回までは、この図式と当事者研究の接点を探りつつ、熊谷さんとさまざまな角度からお話をしてきたというわけです。

「使う」という哲学

國分　今日はさらに別の観点から、この中動態の定義、「中動態は主語自体がその動作の場所になる」に迫っていきたいと考えています。

ポイントになるのは主語です。中動態の定義は主語が中心にあります。ですから本当なら主語についても考えなければならないはずなのですが、『中動態の世界』ではとてもそこまではできませんでした。ですから今日は、この主語についての議論を少し補足してみたい。

その際に参考にしたいのが、以前にも挙げたジョルジョ・アガンベンの『身体の使用』という本です。この本は僕が『中動態の世界』を書くときにたいへん参考になった本なのですが、このなかでアガンベンが、バンヴェニストの中動態の定義についてこんなコメントを寄せているのです。

「主体は動作を支配するのではなく、みずからが動作の起こる場所なのである[*54]」。

中動態の場合、動詞は主語がその座となるような過程を表しているわけです。だから、主体すなわち主語があって何か動作を支配しているのではない。主体は、単にそ

*54　ジョルジョ・アガンベン、前掲書、五九頁。

こで物事が起こる場所になっている。そうすると、中動態における主体は、僕らがイメージする主体とは違っています。何かを支配する主体ではない。

主体と客体の図式に対する批判は、哲学の歴史のなかで継続的に行われてきました。二〇世紀においては、とりわけハイデッガーが強くこれを批判しています。中動態はこの主客図式批判をさらに展開するものとして理解できます。あらかじめ確固として存在している主体が、客体を支配するというのとは違う契機が中動態に見出されるからです。繰り返しになりますが、中動態の場合、主語は単なる場所だからです。

僕が非常に興味深く思うのは、アガンベンがこの主客図式の問題を、この本のタイトルにある「使用」、つまり「使う」という言葉に注目して考えているところです。「使う」というきわめて日常的で何の変哲もないように思える言葉にアガンベンは注目しているのです。

使用はどのように主客図式批判と関わってくるのか。アガンベンはいつものように縦横無尽に古代から現代までのさまざまな理論や概念に言及しながら、エピソードを積み重ねるようにして議論を進めています。いずれも非常に刺激的なのですが、そのような書かれ方のためにやや核心部が見えにくくなっている感もある。そこで、ここではやや大胆にアガンベンの議論の核心部を取り出すことを試み、さらにそれを僕なりに展開してみたいと思います。

主客図式は今までもずっと批判されてきました。しかし、それに代わる関係とはいかなるものなのかと問われると、答えはハッキリしなかった。使用という言葉ないし概念はこの積年の問いにかなり明確な答えを与えてくれるのです。

まず今日の結論とも言えるアガンベンの言葉を紹介したいと思います。

「なにものかとの使用関係に入るためには、わたしはそれ〔使用するという動作〕の影響を受けなければならず、わたし自身をそれを使用する者として構成しなければならない*55」。

*55　ジョルジョ・アガンベン、前掲書、六一頁。

例えばこういうことです。僕がこのペンを使って書くとき、僕はこのペンを支配しているように見えます。けれども実際には僕自身も、このペンを使用するために、ペンに合わせてなんらかの変化を被らなければならない。「このペンを使用する者」としてみずからを構成しなければならない。ペンぐらいだと物も小さいのでその変化はわかりにくいけれども、例えば自転車ならどうでしょうか。自転車に乗るとき、私は自転車を支配しているとはとても言えません。自転車と一体になり、自転車を使用する者へとみずからを構成しなければとても自転車に乗ることはできない。つまり、道具を使うときには道具を使っているというより、道具に使われている側面、あるいは、道具と私が一緒に使用を実現しているという側面がある。では、道具ではなく、自分の身体の器官あるいはその延長にあるものについて考えたらどうでしょうか。

例えば熊谷さんは、電動車いすを使う者へとみずからを構成することで、この電動車いすに乗って移動されているのだと思います。すると、そもそもどこまでが自分の身体なのか、自分の身体の輪郭はどこにあるのかという問題が出てきます。つまり、どこまでが自分で、どこからは自分でないと言えるその根拠はなんなのか？　熊谷さんは再現性の最も高いものが自分の身体として感じられるのだということを繰り返しおっしゃっています。例えば赤ちゃんは自分の手をうまく使えない。その意味でこの時点では、その手は赤ちゃんの身体になっていない。何度も試しながら、「こう動かそうとするとこう動くのだ」という再現性を体感できたとき、自分の手を自分の手と感じられるようになる。こう考えると、道具を「使う」ということと、みずからの身体の器官を「使う」ことには差がない。「使う」ということを通じて人は自分を認識する。ここからアガンベンは「自己とは自己の使用以外のなにものでもない」[*56]と述べることになります。

*56　ジョルジョ・アガンベン、前掲書、一〇二頁。

プラトン『アルキビアデス』を読む

國分　使用と身体、そして自己の問題を考えるために、突然ですが、プラトンの『アルキビアデス』*57という対話篇を読んでみたいと思います。たいへん興味深いことに、この対話篇では使用と身体が問題になっているのです。

プラトンは僕たちのイメージする西洋哲学の元をつくった人ですが、彼はみずからの師であるソクラテスを主人公とする対話篇をたくさん残しています。対話篇というのは戯曲のようなものです。多くの場合、ソクラテスの対話相手がその対話篇のタイトルになっているのですが、この『アルキビアデス』もそうです。実際にこのような対話があったのかどうかはわかりませんが、プラトンは、美少年として知られると共に、アテナイの衆愚政治を代表する扇動政治家であったアルキビアデスをソクラテスと対話させています。

前置きはこれぐらいにして実際に読んでみましょう。少し口調を現代風に変えて引用してみます。

ソクラテス　さあ、それでは、どういう仕方でちょうどその「自身」というものが見出されるのだろうか。というのは、これが見つかれば、われわれ自身いったい何であるかということも、あるいは見つかるかもしれないが、しかし、依然これをまだ知らないでいたのでは、われわれにはそれを見つけることはできないのだろうと思う。

アルキビアデス　お説のとおりです。

ソクラテス　さあ、そこで、どうか、ゼウスの神かけて、ひとつ注意してもらいたいのだが、きみはいま誰と問答しているのかね、ぼくとだろう。ね、そうじゃないか。

＊57　『アルキビアデスI～人間の本性について』（『プラトン全集6』、田中美知太郎訳、岩波書店、一九七四年、八三－八七頁、129B～130C）

アルキビアデス　そうです。
ソクラテス　したがって、ぼくもまたきみと問答しているのではないか。
アルキビアデス　そうです。
ソクラテス　してみると、問答をしかけるのはソクラテスかね。
アルキビアデス　ええ、まったくそのとおりです。
ソクラテス　これに対して問答を仕掛けられるのがアルキビアデスかね。
アルキビアデス　そうです。
ソクラテス　そこでソクラテスは問答をするのに言論をもってするのではないのか？
アルキビアデス　むろんそれに違いありません。
ソクラテス　ところで、問答するというのも、言論を用いる（使う）というのも、君は同じ意味に言うのだと思うがね。
アルキビアデス　はい。まったくそのとおりです。
ソクラテス　ところが、使う者と使われる物とは、別ではないのか？

アルキビアデス　というのは、どういう意味でしょうか？
ソクラテス　例えば靴屋は、各種の刃物、その他の道具をもって切断すると思うのだが。
アルキビアデス　そうです。
ソクラテス　すると、この場合それを使って切断する人は、その切断に使われた物とは、別ものではないのか？
アルキビアデス　それに違いありません。
ソクラテス　すると、その仕方では、キタラ弾きがキタラを弾くのに使うものと、キタラの演奏者自身とは、別ものだということになるだろう。
アルキビアデス　はい。
ソクラテス　それならば、ぼくが今ちょっと前に質問しようとしたのは、このことだったのだ。つまり使用する者と使用される物とは、いかなる場合にも異なるものであると思われるか、どうかということだ。
アルキビアデス　それは異なるものだと思われます。

ソクラテス　それではわれわれは靴屋について何と言ったものだろうか。彼はただ道具だけで切断するのだろうか、それともまた手でもやるのだろうか。

アルキビアデス　それは手でもやります。

ソクラテス　したがって、また手も使用するわけかね。

アルキビアデス　はい。

ソクラテス　そもそもまた、靴作りの切断には、眼も使用するかね。

アルキビアデス　はい。

ソクラテス　ところで、使用する者と使用される物とは異なるというのが、われわれの言論で一致した点なのだ。

アルキビアデス　そうです。

ソクラテス　したがって、靴屋もキタラの演奏家も、手や眼のような、それでかれらが仕事をするものとは異なるということになる？

アルキビアデス　明らかにそうです。

ソクラテス　ところで人間は、また身体の全体をも使用するのではないか。
アルキビアデス　ええ、まったくそのとおりです。
ソクラテス　ところで、使用する者と使用される物とは違うのだったね。
アルキビアデス　そうです。
ソクラテス　したがって、人間は自己の身体とは別ものであるということになるのかね。
アルキビアデス　そうかもしれません。
ソクラテス　では、人間とはいったいなんだ。
アルキビアデス　答えられませんが。
ソクラテス　しかしとにかく、身体を使用する者だということだけは言えるはずだが。
アルキビアデス　はい。
ソクラテス　ところで、そもそも身体を使用する者は、魂のほかに何があるかね。
アルキビアデス　ほかにはありません。

ソクラテス　そしてそれは、身体を支配することによってではないのか。

アルキビアデス　ええ、そうです。

ソクラテス　さて、それなら、もう一つここに、誰も異論はないだろうと思うことがあるのだ。

アルキビアデス　どんなことですか。

ソクラテス　人間は三つの内のとにかく一つだということさ。

アルキビアデス　三つって、何の三つでしょうか。

ソクラテス　魂か身体か、あるいは両方を合わせた、その全体かということだ。

アルキビアデス　それに違いありません。

ソクラテス　ところがしかし、まさに身体を支配するものが人間だということを、われわれは一致して認めたのだ。

アルキビアデス　はい、認めました。

ソクラテス　すると、はたして身体は、自分で自分を支配するものなのだろうか。

アルキビアデス　いいえ、けっして。

ソクラテス　なぜなら、それは支配されるものだと、われわれは言ったからねえ。

アルキビアデス　はい。

ソクラテス　そうすると、これはわれわれの求めているものではないということになるだろう。

アルキビアデス　ええ、そういうことになるかもしれません。

ソクラテス　しかしそれなら、両方合わさったものが身体を支配するのだろうか。そしてしたがってこれが人間だということになるのだろうか。

アルキビアデス　たぶん、きっとそうかもしれません。

ソクラテス　いや、むしろその見こみはいちばん少ない。なぜなら、いっしょにいるもう一方のもの、つまり魂が支配してくれるのでなければ、両方合わさっても、それが支配するという道は何もないと思うからだ。

アルキビアデス　それはとうぜんです。

ソクラテス　ところで、身体も両方合わさったものも人間ではないということになれば、思うに残るところは、そういうものは何もないか、あるいはもし何かあるとすれば、人間は魂にほかならないという帰結だけであろう。

アルキビアデス　正確にそのとおりです。

ソクラテス　それでは、魂が人間だということは、もっと何か明確な証明を必要とするだろうか。

アルキビアデス　いいえ、ゼウスに誓って、その必要はありません。これで充分だとぼくは思います。

國分　ここまでにしましょうか。

プラトニズムの誕生

國分　みなさん、いかがでしたでしょうか。プラトンはソクラテスに、使う者と使われる物とは別ものであると語らせる。それは道具の話をしている時点では特段注意すべきものではありません。靴職人と彼が使用する刃物は別ものでしょう。しかし、プラトンはじつに興味深いことに、この議論を靴職人による手や目の使用にまで拡張する。つまり、使う者と使われる物が別であるとするなら、手や目を使う靴職人と手や目は別だということになるのか、と。

プラトンはここで、われわれの知る西洋哲学の起源としてのプラトン哲学（プラトニズム）と、それとは異なる哲学との分岐点に立っているように思われます。というのも、プラトンがここから、使用を通じて自己が生まれるのであって、自己は自己の使用以外のなにものでもないという考えに行き着いたかもしれないからです。しかしプラトンは、魂が身体を使用するのであって、人間とはこの使用する者としての魂であるという考えを示すことによって、この難題を乗り越えてしまいます。こうして、魂の身体に対する優位というプラトン哲学の基本的な考えが確立されるわけです。

僕は『中動態の世界』のなかで、哲学者のジャック・デリダの「おそらく哲学は、このような中動態、すなわちある種の非‐他動詞性をまず能動態と受動態へと振り分け、それを抑圧することで自らを構成したのである」という言葉を紹介しています。*58

それに対して、「こんなデリダの陰謀論につき合う必要はないだろう」と言った人がいました。

しかし今読んだ箇所は、デリダが言ったとおり、プラトンは「中動態を抑圧して、それを能動と受動に振り分け」ていると僕は思います。使用の分析を通じて中動態の問題が現れているのに、プラトンはそれをあえて主－客に振り分けている。その振り分けを成立させるために「魂」を持ち出すわけです。

これはアガンベンが『身体の使用』で指摘している論点なのですが、ギリシア語で「使う」を意味するχρήσθαι《クレースタイ》という動詞には中動態しかありません。クレースタイは現代の常識から見ると、非常に理解が難しい語です。たしかに、「使う」と訳せますが、それ以上に、いろいろな意味を持っているのです。

「使う」というのは、私がそうする場合、例えば「I use it」です。この場合、it は直接目的語です。ギリシア語は直接目的語を表すために名詞を対格というかたちに格変化させますが、クレースタイは対格をとらないのです。対格ではなく、与格や属格をとります。

格というのは名詞の役割を表すものです。ギリシア語やラテン語では名詞が縦横無尽に格変化します。覚えるのはたいへんですが、格を見れば文における名詞の役割がわかるわけですから、ある意味では便利です。格はもともとは少なくとも七つありましたが、ギリシア語・ラテン語では五つにまで減っています。英語では格変化はほとんどなくなってしまいました。ドイツ語には残っています。ドイツ語を習った人は一格から四格までの格変化を学んだはずですね。

先ほどクレースタイは与格と属格を目的語にとると言いました。与格というのは、例えば英語で言えば、「I give you my money」の you がそれにあたります。一般的に「……に」の意味を表します。属格とは of の意味で、じつは英語にはこの属格だけが残っています。「Koichiro's restaurant」と言えば「功一郎のレストラン」を意味しますが、Koichiro'sというのはKoichiroという名詞が属格に格変化しているのです。

*58　國分功一郎、前掲書、一二〇頁。

ちなみに、格変化はだんだんなくなってきたと言いましたが、前置詞というのはそれに伴って現れてきた新しい品詞です。名詞自体を見てもその役割がわからないので、名詞の前に、その役割を表す言葉を置くことにしたわけです。例えば to という前置詞が名詞の前に置かれていたら、その後の名詞は「……に」の意味だなというわけですね。

ちょっと話が逸れましたが、クレースタイが目的語を対格でとらないということは、「使う」という言葉がただ「……を使う」を意味するわけではないことを意味します。私という主語＝主体があって、物という目的語＝客体があって、前者が後者を使うというのとは異なる意味が「使う」という概念には秘められていることを、このクレースタイという動詞は示していることになります。

アガンベンは『身体の使用』のなかで、「クレースタイ」という動詞を扱ったジュルジュ・ルダールという人の学位論文を参照しながら、この語について論じているのですが、そこで結論的に次のように述べています。

「誰かが何ものかを使用するという近代的な考え方のうちにかくもはっきりと刻印されている主体（主語）と客体（目的語）の関係がこのギリシア語の動詞の意味を捕まえるには不適切なのである」*59。

僕らは「使用」を「支配」の意味で考えていると思います。ペンを使うとき、ペンを支配して、みずからの思いのままにそれを使っている、と。しかし、自転車や車いすの例からわかるように、むしろ使うためには、使う主体にならねばならない。クレースタイを通じて主体が出てくる、というか、クレースタイを通じて主体と客体の一つの組み合わさった何か、自己のようなものが構成されると考えねばならないのではないか。そしてクレースタイが中動態にしか活用しないのであれば、それはまさしく主語が自己の生成する場所であることを示しているのではないか。

*59　ジョルジョ・アガンベン、前掲書、五七頁。

abuse と use

熊谷　國分さん、ありがとうございます。じつに刺激的なお話でした。「使用」ということで言えば、私も、「abuse」という言葉が前からずっと気になっていたのです。「ab」「use」です。前者は、「abnormal」とかの「ab」、「use」は「使う」ですよね。日本語に訳すと、「誤使用」。物質や対象を本来の使用法ではない、間違ったかたちで使用してしまうことですね。例えば、「substance abuse」や、あるいは「sexual abuse」など、アディクション（依存、嗜癖）の文脈で使うこともありますし、虐待の文脈で使われることもあります。また、自分自身の身体をabuseするという言い方もあるかもしれません。

今思いついたことなのですが、もしかすると、プラトン的に何かと関わる、例えば自分の身体や他者やものと関わりはじめたら、それはもう「abuse」の領域に入っているのではないか。それに対して「abuse」ではない「use」というのがクレースタイなのではないかと、お話を伺いながら考えていました。

このことは、現代を生きる多くの人々も、本来「use」というのはクレースタイ的な意味だろうと薄々わかっているような気がするのです。なぜならこれは、暴力の問題はじめ、さまざまなこんにちの問題に関わってくると思うからです。

私自身もそうです。今思うと、『リハビリの夜』のなかで、私はしきりに「使用」の話を書いていた気がします。私は脳性麻痺という障害を持っています。しかし、自分の身体をプラトン的に使おうとすると、身体が動かなくなる。これは、私だけではなく脳性麻痺一般にみとめられる特徴の一つと言えるでしょう。自分の身体を支配しようとすればするほど身体がこわばっていき、思いどおりに動かなくなる。

しかしこのことは、脳性麻痺者にだけ起きることではなく、大なり小なり誰もが思い当たるところがあるのではないでしょうか。そしてそれが極端に顕在化した身体が脳性麻痺の身体で、クレースタイがそうなのかどうかわかりませんが、なんというか、身を委ねるといいますか、湧き起こってくるボトムアップの動きに沿わせていく感覚がないと、身体というのは動きづらいものなのではないでしょうか。身体は、支配しようとすると思いどおりに動かない。そういえば、「思いどおりに」というのも不思議な現象ですが、しかし少なくとも「思いどおり」に動かすというのは、支配という意味ではない。むしろ、身を委ねたときにしか湧き起こらない「思いどおりに」がある。それについてひたすら「なんなんだ、これは」と考えながら書いたのが『リハビリの夜』でした。

そしてちょうどその本を書き終えたころに、國分さんの『暇と退屈の倫理学』を読んだわけです。先の回で、過食についてお話ししたときにも同様のことを述べましたが、私にはとりわけ、浪費と消費のくだりが印象的でした。で、これはuseとabuseの違いと対応するのではないか、という予感がありました。そしてその後、「消費」と「浪費」、この二つの概念について、私はある研究を受けて、つぎのように解釈し直しています。

水を味わう、身体を味わう

熊谷　『多飲症・水中毒』という本があります。*60「多飲症」というのは、主に水を大量に飲んでしまう症状です。数分間で一〇リットルとか、かなりの勢いで飲むのが止められなくなる。そして、「水中毒」は、多飲症に陥った結果、水が身体に一挙に流れ込んできて脳がむくみ、呼吸が止まったり、痙攣を起こしたりする症状です。じつは多飲症・水中毒は、長期入院している精神科病棟の患者さんのなかではありふれた現象です。

昔から精神科領域では、この水中毒というものをいったいどう扱ったらいいのかという問題を抱えていました。患者が水を飲んだら、隔離するなどの方法がとられていましたが、そうするとこんどは隔離室のトイレの水を飲むので、それを避けるためにトイレの水を止める。拘禁すればもちろんそのあいだは飲めないわけですが、拘禁を解除するとすぐその晩に一〇リットルの水を飲んでしまう。そのような悪循環だったわけです。

＊60　川上宏人・松浦好徳編著『多飲症・水中毒』（医学書院、二〇一〇年）

ところが、山梨県立北病院では、非常に斬新な対応方法を編み出したのです。それは「申告飲水制度」。要するに、事前に「これから水を飲みます」と申告してもらうのです。大転換ですね。そして冷やしたおいしい水を堂々と飲んでもらうことにした。「おいしいねえ」などと言いながらスタッフルームでみんなで一緒に冷たい水を飲む。そうしたところ、水中毒が減っていったというわけです。これをどのように解釈するか。私は國分さんの浪費と消費という概念を使いながら考えました。

多飲症に陥っているとき、本当にその人は「水を飲んでいる」のか。物理的には飲んではいるわけですが、水を「味わって」いるかというと、おそらくそんなことはないのではないか。一〇リットルという量、しかもトイレの水まで飲んでしまうわけですから、水を味わっているとはどうしても思えません。

『多飲症・水中毒』には、「なぜ水を飲むのですか?」という問いに対して、例えば、「毒を洗い流すため」とか「気分がハイになるから」など、水そのものを味わうのとは違ったさまざまなファンタジーというか、ある意味で観念的な返答が載っています。『暇と退屈の倫理学』には、消費とは、観念的な記号を消費するのだとあります。まさに一〇リットルものトイレの水を飲むなどの多飲症の場合は、水そのものを味わうというより、水を飲むという行為が、観念的に駆り立てられているのかもしれません。それに対して、申告飲水制度によって、冷えたおいしい水を堂々と飲む行為は浪費に近いのではないか。

　また、國分さんは、「浪費とは受け取る行為だ」とも書かれていました。水から何かを受け取るのが浪費なら、消費というのは、相手、この場合は水ですが——から何も受け取らない。むしろ、自分の観念が命ずるままに、自分の行為を相手に押しつけるわけです。私から水へというきわめて能動態的な、ある種、プラトン的な水の飲み方をしている。それが、水中毒の状態なのではないか。それに対してスタッフルームで堂々と「おいしいね」と言いながら飲む場合は、クレースタイ的な状態ではないかと思うのです。

　先ほどのアガンベンの話になぞらえれば、自分は水を飲む者として変化しなくてはいけない、つまり、自分自身も何かを受け取ることで変化するわけです。所与の「私」は変化せずに水の方ばかりが変化していく、そういう一方通行の関係ではなく、水も変化するが飲んでいる「私」の方も変化して、水を味わう者としての自分が立ち上がる。それがスタッフルームで起きたことではないでしょうか。

消費はabuseというか、プラトン的な「使う」であるのに対して、浪費はクレースタイ、あるいは一般的な「use」に分類されるのではないか。そしてさらに、私はみずからの身体について考えました。

私が脳性麻痺の身体を使うということは、私自身の身体を「味わっていない」と難しい。身体を「動け、このやろう」と、正太郎君がリモコンで「鉄人28号」を操縦するみたいに動かそうとしても動いてくれない。支配しようとしたりコントロールしたりしようとするとうまくいかないのです。むしろ、身体が今どのような状態なのかということに聞き耳を立てるように、いわば湧き起こってくる動きをすくい上げていくような感覚がないといけない。かように、水だけに限らず、自分の身体に関してもabuseは起きる。脳性麻痺の身体においては、abuseするとすぐに動いてくれなくなるのです。それが、物心ついた頃からの私の原風景というか、身体の原風景だったわけです。ひとことで言うなら、自分の身体との関わりにおいて、私はプラトン的ではなくクレースタイ的でないといけなかったというわけです。

支配と自由

熊谷　自分の身体だけではありません。こう言うと語弊があるかもしれませんが、私は日々、つねに介助者を、まさに正しくクレースタイ的な意味で「使って」生きているわけです。お風呂に入るとき、洋服を着替えるとき、ご飯を食べるとき、二四時間三六五日、自分ひとりではいろいろなことができないので、つねに介助者という存在が傍らにいて、その人とつき合っていかなければならないのです。

私のような障害者にとって、介助者とどういう関係をもつべきかという問題は、つねにつきものなのです。これには歴史があります。すでにお話ししたように、かつて七〇年代までは、簡単に言えば介助者の方が偉かったのです。言い換えれば、介助者が障害者を支配していた。例えば、障害者は喉が渇いたので水が飲みたいと思う。しかし介助者は今忙しそうだから「もう少し我慢していようか……」と、介助者の仕事の段取りに合わせて障害者側が自分の生理的欲求をいちいち我慢しないといけないような時代、介助者の顔色を見ながら生きていかなければいけなかった時代があったのです。

そしてその反省から、八〇年代以降、こんどは一八〇度方向転換して障害者が介助者を「支配」しようという時代が生まれました。いわゆる「介助者手足論」です。ところが、日常生活のなかで介助者を「支配する」というのは、限りなくabuseに近くなっていくわけです。だからといって七〇年代みたいに再び介助者に支配されるわけにもいかない。能動／受動、支配／被支配で考えてしまうと、この問題は解けないわけです。その結果、障害者と介助者との間では「バランスが大事だよね」とお茶を濁すしかないような関係が繰り返されてきました。そして私が『リハビリの夜』で書こうとしたのは、「いや、それも違うのではないか」ということでした。

「介助者手足論」、これは先ほどのプラトンの話とよく似ていると思います。「使う者は誰かね」「障害者です」、「じゃあ使われるものは何かね」「介助者です」と。だから、介助者は障害者の手足である、それを使う「魂」は障害者である。障害者はみずからの身体は機能しないので、魂だけを差し出して、手足である介助者を「支配」するというモデルが、介助者手足論の基本的な考え方です。

私も今までにいろいろな介助者と出会ってきましたが、介助者手足論を真に受けている介助者が、本当に「使い勝手」が良いかというと、決してそんなことはありません。なぜかというと、なんでもかんでも聞いてきて、自分からは動いてくれない。厳密に介助者手足論に立つと、私がすべてのことにいちいち指示を出さないかぎり、介助者は動けないわけです。

極端な例ですが、とても真面目そうな、そして障害者運動の歴史もよく勉強している介助者候補がいて、これはと思って介助に入ってもらったのですが、それはそれはもうたいへんでした。

とにかく徹底した指示待ちのスタンスを取ったのです。「さてそろそろお風呂に入ります」と私が言うと、風呂場に連れて行ってくれる。しかしそのあとはじっとしたまま動いてくれない。私は、お気に入りのドラマを観たあとにお風呂に入りたいというところまでは自分で決めたいのですが、それ以上の細かいことまで決めたいと思わないわけです。ところが、彼は動かない。「どうして動かないの？」と聞くと、「どこから服を脱がせたらいいのですか？」。で、指示をする。そしてまたじっとしているので聞くと、こんどは「どこから洗えばいいのですか？」と（笑）。頭から洗うか、それとも、背中からか、いや、おなかから、それとも、左手から洗うか。「では、左手からお願いします」と言うと、「左手のどこからですか、ワキからか、肘からか、手の指からですか？」（笑）このようにあらゆる行為は細分化できるわけです。手の指から洗うといってもどの指からなのか、そしてその指の付け根から洗うのか先端から洗うのか。もうこれは永久に終わらないわけです。

よく考えてみると、「健常者」と呼ばれている人たちも、おそらく「よし、今日は左手の親指の付け根から洗うぞ」と決意して洗っているわけではないでしょう。たぶん、昨日と同じように洗っているだけです。そして昨日どう洗ったか、そのときの記憶なんて残っていないから、「魂」の指示を待たずに、なかば身体が勝手に動いて、洗ってくれる。それなのになぜ私だけが親指の付け根からなのか先端からなのかを決めなければいけないのか。ひそかに憤慨しつつ、そういう現実的な問題に直面したわけです。

先ほどのプラトンの話を突き詰めていったら生活なんてやっていられない、ということです。「魂」が完全に「身体」を支配しようとすると、今お話ししたようなことが起きる。実際、自閉スペクトラム症である綾屋紗月さんは、今の話をしたさい、「あ、その介助者、私の身体だ」とおっしゃっていました。いちいち指示を出さないと動いてくれない、そういう身体を、自閉スペクトラム症とされる人の少なくとも一部の人は生きているのかもしれません。

私が自由を感じながら日々を生活するためには、自分の身体との関係においても、そして介助者という他者との関係においても、モノとの関係においても「支配」しようとしないということが条件なのでしょう。支配しようとしたとたん、うまくいかなくなる。

例えば、コップを持つ場合ですら、さあこれからコップを持つぞ、と思うと持ちにくいのではないでしょうか。むしろなんとなく少し気を逸らしながらのほうがスムーズにいくのではないかと思います。

國分　「魂」がいちいち指示をしていたら身体は動かない、ということは、熊谷さんが『リハビリの夜』の最初の方に書かれていましたよね。実際、これは科学的にも証明されています。骨と筋肉と関節とを複雑に持っている人間の身体にいちいち脳が全部指示することなどできません。だから実際には、協応構造といって、勝手に身体の方でいろんなことをやってくれるわけです。にもかかわらず、魂が身体を支配するという考え方は非常に根強い。この考え方が能動態と受動態の対立に合致するからだと思います。

場所のなかで動きや動作が生成するというクレースタイ的な「使用」の関係があるいっぽうで、魂の外にあるものを支配しようとするというプラトン的な支配の図式があり、これが能動態と関係していることはおそらく間違いない。というより、むしろ、能動態というのは「支配」なのではないか、熊谷さんのお話をお聞きしていると、そういう感じすらしてきましたし、また、「使用」というのがこんなに面白い意味を持っているとは、と改めて驚きました。今まで僕にもはっきりと気づいていないところがあった。

ただ慎重に話を進めなければならないと思うのは、アガンベンの『身体の使用』は、厄介なことに奴隷制の話から始まっているということです。そもそも、「身体の使用」という言葉が、アリストテレスの『政治学』の冒頭の奴隷の本性の定義から来ています。それはやはり、主人が「魂」で、奴隷が「身体」だということです。使用には非常に気をつけて話をしなければならない側面が間違いなくある。熊谷さんは介助の話を通じてそのことを説明してくださったのだと思います。

介助者運動と当事者主権

熊谷　最近、「障害者運動」の意義を十分に受け継ぎながらも、その一部を批判するものとして「介助者運動」というのが出てきているんです。それは今、國分さんが言われた奴隷制の話ではないけれども、まさに「私たちは、abuseされているんじゃないか」という介助者の問題意識の高まりです。しかし間違った方向に進めば、またひと昔前の時代を繰り返すのではないかという部分も当然あります。先ほどの繰り返しになりますが、だからこそ、「バランスが大事だよね」という、お茶を濁すような言い方ではないかたちでここを整理しなければいけないと思っています。とても繊細な問題です。

國分　今の熊谷さんのお話、非常に重要なところですね。それに付け加えて言うと、以前も少しお話しした、「主権」という問題もありますね。

熊谷　そうですね。

國分　「当事者主権」という言葉、すなわち、当事者にこそ物事を決める最終的な決定権があるという考え方です。当事者主権があるというのは、当然、とても大切なことです。

しかし、そのことを認めたうえで「主権」という考え方そのものに対して僕は気になるところがあります。もう一度説明させてください。主権は政治で用いられる概念ですから、政治の比喩で考えてみましょう。

主権という概念がきわめて重要な場面があります。例えば、イギリスがＥＵからの離脱を国民投票で決めましたね。いわゆるブレグジットです。日本では当初、まるで離脱派は排外主義者のように報道されていましたが、それは実情とは違います。労働党を支持する、人種差別とは無縁の労働者たちも離脱に投票しています。彼らは「自分たちで自分のことを決めるのが民主主義ではないのか」「ブリュッセルにいるEUの官僚が勝手に自分たちのことを決めるのはおかしい」と訴えたのです。それを何もわかっていないナショナリストが、あたかも愚かな選択をしたようなイメージで片付けることは間違っています。彼らの主権は絶対に尊重されなければなりません。

しかし、そのことを認めたうえで、「自分で自分のことを決める」とはいったいどういうことなのか？　自分で自分を支配できるのか？　そういう意味での「主権」は可能なのか？　ということは問われなくてはならない。

熊谷　おっしゃるとおりだと思います。

國分　しかも、話はそこで終わりません。主権に続いて、こんどは「内政干渉」の問題があります。どういうことかというと、「当事者だから自分で決める権利がある」と宣言してしまうと、他人は何も言えなくなってしまうという可能性がある。もちろん、当事者の権利主張は当然認められるべきです。そのことは疑いがない。けれどもそこには、かつて多文化主義が陥ったのと同じ隘路があります。これは、僕が感じているだけではないと思う。すでに、当事者に対して何ごとかを語る人を「内政干渉」と捉える圧力があるのではないか。そもそも、こうした指摘をすることすら難しいという現状がある。

熊谷　当事者研究が、当事者主権的な運動の系譜だけでなく、依存症自助グループの影響も受けたことが、この点において重要性をもつかもしれません。当事者主権を文字どおりに受け取れば、薬物依存症における「薬を使いたい」という意志も当然、無条件に認めなくてはいけなくなります。いっぽう、依存症自助グループの回復においては、前回もお話しした「12のステップ」のように、本人の意志を過信しないところから始まります。依存症の方の多くは、安心して身をゆだねられるような信頼できる他者に恵まれなかったからこそ、人並み以上といっていいほど自己統治を守ろうとして生き延びておられ、そのせいで依存症の度合いが深くなっていく場合があると教えていただきました。12ステップの最初に過剰な自己統治を緩める段階があるのは、そういうわけです。

國分さんがおっしゃるように、「当事者主権」は、これまで障害者が受けてきた受難の歴史からすると譲れない。しかし、それだけではうまくいかない事態が現場で噴出しているのも事実ですね。

國分　単純な、主語と目的語の関係では、ダメだということですね。少し昔の現代思想っぽくなってしまいますが、やはり、主客図式は超えなければいけないと思います。

責任と応答

國分　最後に、やはりどうしてももう一度考えておかなくてはならない問題として、「責任」の問題があると思います。僕たちは意志の概念を批判的に検討してきました。今日は、使用の概念を通じて、主体についてもそれがあらかじめ存在するわけではないことを主張した。では以上を踏まえたとき、責任はどうなってしまうのだろうか。

『中動態の世界』で僕は、意志という概念を通じて責任を押し付ける図式への批判までしかできませんでした。しかし、責任は僕ら二人にとって、絶対に避けて通ることのできないテーマです。だから最後に改めてそれについて考えてみたい。

ついこ先日、『福音と世界』というキリスト教系の雑誌に「責任、そして『隣人になる』こと」という文章を寄稿しました。[*61] 僕にしては珍しいことなんですが、ルカ伝に出てくる「善きサマリア人の譬」を解釈しながら、責任について論じたんですね。

前にもお話ししましたが、責任とはresponsibilityであり、応答responseと切り離せません。しかしこれもすでにお話ししたとおり、意志の有無を確認するようにして人に負わせる責任というのは、どう考えても応答ではない。そういう責任の概念を、堕落した責任概念であるともお話ししました。

では、責任をどこから考えるべきか。僕には信仰はありませんが、ずっと「サマリア人の譬」が気になっていました。責任を考えるにあたって、この話こそが重要ではないかと思ったのです。機会があれば該当する聖書のページを読んでみていただけると嬉しいのですが、今ここで、ざっとご説明しましょう。

身ぐるみ剥がされて瀕死の状態で地面に横たわっている旅人がいた。その横を司祭が通りかかるが何もしない。レビ人も通りかかるが何もしない。ところが三番めにそこを通りかかったサマリア人は旅人を気の毒に思って介抱するだけでなく、宿に連れて行って休ませ、さらには宿代まで支払ったうえで、「これで良くなるまでここに泊めてあげてください」と宿の人に頼む。そんなお話です。非常に人の心を打つお話で、このエピソードを主題にした宗教画もたくさんあります。

このサマリア人は、怪我をしている旅人を見て、応答、responseしなければならないという気持ちを抱いたのだと思います。「今、何かしなくては」と。そして、ここに責任の原初形態のようなものがあるのではないかと僕は考えているのです。

このエピソードでもう一つ重要なのは、この話をイエスが語るのはどういう場面かということです。聖書のなかでイエスは、律法学者から意地悪な質問をたくさん投げかけられますよね。イエスはそれを全部、見事に切り返していくわけですが、この場面では、隣人に関する質問をされます。律法学者は「では、私の隣人とは誰であるの

＊61　國分功一郎「責任、そして『隣人になる』こと」(『福音と世界』、二〇一八年七月号、新教出版社)

ですか？」と聞く。そしてそれに対してイエスがどう答えようが、いつものように揚げ足をとろうと待ち構えているわけです。そこでイエスは善きサマリア人の譬の話をして、最後にこう質問するわけです。「この三人のうち誰が強盗に襲われた人の隣人になったと思うか？」

このイエスの答えのどこがすごいかというと、律法学者は「隣人とは誰であるか」と聞いたわけです。それに対してイエスは「誰が隣人になったか」と返したわけです。つまりイエスは「人は誰かの隣人であるのではない。人は誰かの隣人になるのだ」と言っているわけです。僕はこれは本当に素晴らしい答えだと思います。

「である」でなくて、「になる」ですね。ここにこそ、ある種の責任をめぐる思想があるのではないか。「になる」というのはもちろん、ドゥルーズで言えば「becoming」（生成変化）です。ドゥルーズは「〜である」ではなく「〜になる」ということが大事だと考えた。僕はイエスはドゥルージアンではないかとすら思う（笑）。

熊谷　『中動態の世界』の次は、きっと「責任」の話になるだろうと感じていました。つまり中動態と矛盾しない責任とはどういうものなのかということです。そして、まさに國分さんが『中動態の世界』の最初に導入的に書かれている依存症の現場のなかに一つのヒントがあるのではないか。先ほどの「becoming」、責任あるものへとなるという國分さんのお話を聞きながら私が考えたことを述べてみてよいでしょうか。

國分　ぜひ。

エビデンスと根拠なき「信」

熊谷　繰り返しになりますが、まず、依存症という状態は、能動／受動の図式に人一倍絡め取られた状態だと言われています。つまり、「やるか／やられるか」と発想し、だからこそ自分が自分の身体をコントロールあるいは支配、または制御するという「abuse」状態に陥っている。これはある程度広く共有されている事実だと思います。

私はこれまでに、依存症当事者たちが長年受け継いできた回復プログラム「12のステップ」の話をしてきました。ステップ1から始まってステップ12まで、まさに「becoming」の系列です（一三七頁）。

ステップ１が終わるとステップ２に行けと命じられるというより、ステップ１が終わるころにステップ２を前にするものに生成変化するようになっている。ステップ１は、自分で自分の行動を制御しきれなくなったということを認める。コントロールする力は自分にはない、無力だと認める。これはつまり、能動受動図式のなかに絡み取られた人々が、中動態的な世界へと移行するプログラムではないかと述べました。

今日、「責任」という観点から紹介したいのは、その先です。これまではステップ１を紹介して終わっていました。これまで、この12のステップ、あるいは12の伝統と呼ばれるものについて、何度も読み解こうとしてきましたが、まだまだ十分ではないと思っています。けれども今日はそれ以降の、ステップ２、３、そして特にステップ４で何が起きるか、説明してみたいと思います。

まずステップ３には、神（ハイヤーパワー）といった宗教的な表現があって、宗教的な印象から参入障壁の高さを感じる人もいます。これをどう考えたらいいのか。綾屋紗月さんとの共著、『つながりの作法――同じでもなく違うでもなく』では、自助グループ内では特定のメンバーがグループを支配することがないよう、いくつもの工夫がされていて、そのなかの一つに、「世界はおおよそこうなっているだろう」という見通しを与えることを可能にする、属人化されない構成的体制への「根拠なき信仰」という言い方があると書きました。[*62] これが、ステップの2と3における「自分を越えた大きな力」「神」という表現で指示されているのではないかと考えたのです。しかし、他者を信頼できたり、常識的な価値観や知識を信頼できるような恵まれた環境を生きてきた人々のなかには、ことさら「信仰」、あるいは「信」などと強調することがどうして重要であるのか、と思われる方もいらっしゃるでしょう。

以前、社会学者の大澤真幸さんと対談した際、「知識」と「信」について議論になったことがあります。[*63]

＊62　綾屋紗月・熊谷晋一郎『つながりの作法――同じでもなく違うでもなく』（NHK出版、二〇一〇年、第五章）

＊63　熊谷晋一郎・大澤真幸対談「痛みの記憶／記憶の痛み」（熊谷晋一郎『ひとりで苦しまないための「痛みの哲学」』、青土社、二〇一三年）

二〇一一年の東日本大震災の原発事故をきっかけに、誰もが膨大な科学的エビデンスをインターネットやテレビから浴びるように受け、どのエビデンスを信じればよいかわからない状況に置かれました。今日、誰でも手軽にエビデンスと知識は得られるけれど、そのどれを信じるべきかとなると急にハードルが高くなって、生活に組み込まれる知識にはなかなかならないし、まして、行動を導く知識となるとなおさらであろうと。当事者研究も単なる勉強にならないように、身体で学ぶことを重視して、経験を通じて信じられる知識を獲得することが大切にされています。当事者研究においてもエビデンスの要請に抗えない昨今の状況はありますが、いっぽうで当事者研究の場は、スピノザ的科学の実験場でもある。今はまさに当事者研究はこの二つに引き裂かれている状況かもしれません。

國分　どのようにエビデンスとつき合うのかは非常に難しいところがあります。もちろんエビデンスが必要ないわけではなく、問題はエビデンス主義でしか考えられなくなっていることです。考えるための複数のルートが必要なんですね。

熊谷　そうですね。医学の領域でも、日常生活や身体のなかに埋め込まれることのないエビデンス絶対主義はすでに行き詰まりを迎えており、実装科学（implementation science）という標語のもとで、スピノザ的科学の側面が見直されているとみることもできるかもしれません。従来の流儀でエビデンスを証明しようとしても、その結果が人々や社会に浸透していかないため、費用対効果が悪すぎるという問題意識もあります。

國分　計量化でしかないエビデンスではなく、より広義の視野からエビデンスを考える必要があるわけですね。

熊谷　そうなんです。

「12のステップ」における変化のプログラム

熊谷　そして「12のステップ」は、長い経験の積み重ねによって、すでに「信」という言い方を獲得していました。

さて、話を戻します。次の段階の「ステップ4」とは何か。これは「棚卸し」と呼ばれる、自分の過去を徹底して振り返るプロセスです。例えば、生真面目なメンバーの場合など、自分の周囲の人に取材しながら、一歳のときから自分の人生にどんなことが起きたかを、歳の数分、ルーズリーフに書いていくという作業をしたりします。ダルクのスタッフの方に聞いたところでは、ほとんどの参加者は、この段階で具合が少し悪くなるのだといいます。

國分さんの『中動態の世界』のなかに、アレントの「意志とは過去の切断である」という考えが引用されていましたが、虐待を経験してきた方は当然、「主権」意識が強く、「内政干渉」を嫌ったとしても無理はありません。さらに、彼らのなかには過去を切断するために依存行動へ身を投じる、あるいは意志に身を委ねるという生き延び方をしてきた人もいます。「過去から切断された絶対的な始まり」を毎日生きてきた人、薬物でみずからをリセットしつづけながら、「未来」「意志」に埋め尽くされた情況に自分を追い込まなければならないような「過去」を負っている人にとっては、「希望」や「未来」を強調することは、表面的には快適でも、いっぽうで問題を置き去りにする可能性があるのは明らかであると思います。

アレントの意志の定義は、彼らの置かれている状況にも記述を与えるかもしれません。もし、意志が過去の切断であるならば、反意志とは過去を棚卸しすることだと言えるでしょう。ステップ4で過去を棚卸しするのは、中動態の世界から考えても理解できます。ステップ5〜7では、一回性の出来事の棚卸しから一歩進んで、反復していたり持続している変えるべき自己のパターンを認め、そのパターンが変わるようにと祈るというステップです。ここも、変えるのではなく、変わるように求めて、祈る。

そうすることでようやく、責任の領域に入ってきます。

過去の自分のことを書き尽くすと、二つの自分が浮かび上がってくる。それは、被害者としての自分と加害者としての自分です。そうすることで自然と湧き起こってくるのがステップ8、「私達が傷つけたすべての人の表を作り、その人たち全員に進んで埋め合わせをしようとする気持ちになった」です。「埋め合わせよ」「気持ちになれ」という命令形ではなく、「気持ちになった」という、出来事を記述する文になっているのは、12ステップ全体で強調されるべきポイントの一つでしょう。

棚卸しをすると、応答したいと思う気持ちが湧き起こってくる、文字どおり責任を取りたいとbecomingする。その段階でステップが一つ進む。いわば、棚卸しの先にある「責任」です。棚卸しをすると、自然と生成変化して、その先にある責任を取ろうとする自分がプログラムのなかに現れる。ステップ9では、この埋め合わせを実行するものへと生成変化します。そして、棚卸しは何度も巻き返し繰り返し行われるというステップ10、環境のアフォーダンスにジャックされやすい自分の意志ではなく、自分が理解した神の意志を知り、それだけを行っていく力を祈りと黙想によって求めるという、スピノザの自由を思い起こさせるようなステップ11、次の仲間へと自分のストーリーを伝えるステップ12と続いていきます。そういう意味では、12のステップは中動態を徹底していると同時に、責任を取る主体へと生成変化するプログラムになっているのではないか。以上が、現時点での私の読解です。

「責任」は中動態の先にしかない

國分　見事な読み方だと思います。心打たれます。

熊谷　いえ、しかしこう考えてくると、意志と責任は対義語ではないかとすら思えてきますね。いったい、過去を遮断し振り返らない責任なんてあるのだろうか。歴史修正主義ではないですが、個人史や歴史を含めて過去を遮断した状態で人が責任を取ることができるのか。もし、意志が過去の遮断であるなら、意志と責任は対立するように見えてくるわけです。

12のステップは、過去の遮断の解除が責任の前提条件になるという事実を明らかにもしている。そういうプログラムとしても読めるのではないかと私には思えるのです。だから、中動態が責任逃れに使えるというのは完全に誤読だと思います。どう考えても、中動態の先にしか責任はないのではないか、というのが私の今の考えです。

國分　なるほど。中動態の先にしか責任はないというのは、熊谷さんのおっしゃるとおりだと思います。

不思議ですね。中動態といえば何か無責任な印象を受けても仕方ないのに、責任について考えていくと、むしろ中動態的なものがなければとても責任を引き受けるに至ることができないことがわかってくる。つまり、詫びる気持ちが、自分を場所として、過去の振り返りを通じて過去との連続性のなかで出てきたときに、責任ということがはじめて言えるのではないか。つまり過去を「前にして」、それに応答しようとするとき、はじめて責任の気持ちが生まれてくる。

むしろ今、世の中で言われている「責任」というのはいったいなんだろうという気がしてきます。

熊谷　ほんとうにそうですね。

國分　いったい、世の中で「責任」とよばれている「あれ」は、なんでしょうか。

熊谷　なんでしょうね。

國分　責任とは違う感じがしてきましたね。

熊谷　責任とは違う何かを、そう呼んでいる。

國分　いわゆる犯罪者に対して、「責任を取れ」と約束事のように言いますが、中動態的過程を通じてはじめて責任を引き受けることができるのであれば、それはむしろ責任を取らせない方向に人を向かわせているのではないか。非常に不思議な感じがしますが。

熊谷　前回、会場からの質問に応えて、中動態のイメージとして共時的なイメージと通時的なイメージがあるという話をしましたが、身体の外側も内側も、今ここにあるさまざまな原因群、さまざまな刺激を私たちは浴びている。そしてそれらに影響を受けて行為が生成しているのだとすると、私の意志で行為しているわけでは必ずしもないと言えると思います。

たしかに、いろいろなものに突き動かされて行為しているというのは中動態の世界観なのですが、非常に共時的です。しかし同時に、実際は今ここだけではなくて、過去の歴史というか、一〇年前二〇年前の自分自身の経験にも私たちは動かされて、今の行為が影響を受けているわけです。おそらく、共時的な部分だけを強調して中動態を読解すると、責任逃れのイメージが出てくるのではないか。

12のステップの話をしたのは、それがきわめて通時的なものだからです。そう思うと、アレントの引用はやはり通時的にも読めます。いっぽうで、ハイデッガーの「意志は過去を憎む」という話もありました。けれども、中動態のなかには通時的な部分もふくまれているはずです。共時と通時の両方をおさえないと中動態の延長線上の責任は見えてこないのではないか、そんなことを感じました。

國分　僕はそこまで考えて「意志と責任の考古学」というサブタイトルをつけたわけではなかった。けれど、このキーワードはとても重要だったのだな、と熊谷さんの今のお話を聞いていて、改めてそう思いました。

『暇と退屈の倫理学』では、退屈と暇を明確に区別すると共に、退屈を否定的に評価し、暇を肯定的に評価しました。『中動態の世界』では、意志と責任を明確に区別すると共に、意志を批判的に論じ、責任を重要視しています。やはり熊谷さんのおっしゃるとおり、意志と責任はむしろ対立する概念と考えた方がいい。そして、中動態からこそその認識へと迫っていけるのだと、今日、熊谷さんと話していて改めてわかってきました。

主体と責任の関係についても、少しだけ霧が晴れたようにも思います。主体を実体として前提としない哲学は責任を問うことができない、という考え方があります。しかし、それは違うのではないか。責任が生成変化（becoming）であるとしたら、それは主語＝主体を場所として、使用を通じて自己が構成される過程と無関係ではない。

責任を引き受けるときにも、その責任に向かって何かを使用する自己が生成していると考えるべきではないだろうか。使用という原初の光景を見定めることによってこそ、責任を引き受ける自己が生成し得るのではないだろうか。

しかし、われわれはそのような使用を支配と勘違いしてきた。その勘違いの起源の一つは、先ほどみた『アルキビアデス』に見られるようなプラトニズムでしょう。これまでの哲学がプラトニズムと切り離せないとしたら、やはり、デリダの言う「哲学は、このような中動態、すなわちある種の非-他動詞性をまず能動態と受動態へと振り分け、それを抑圧することで自らを構成したのである」という指摘[*64]は的確であったと言わねばなりません。ならば、デリダのこの指摘を受けて、僕らは使用を支配に回収しないような責任の哲学を作り出さねばならない。

熊谷　そうですね。今回の連続講義の一つの重要な結論として、私も國分さんに同意

＊64　ジャック・デリダ『哲学の余白（上）』（藤本一勇他訳、法政大学出版局、二〇〇七年、四四頁）

します。それからもう一つ最後に、いいでしょうか。

國分　はい、ぜひ。

熊谷　当事者研究に影響を与えた人物に、精神科医のヴィクトール・フランクルがいます。彼も「責任」という言葉を使いますが、一般的な責任とは少し異なっています。彼は人間を、人生から問いを投げかけられている存在と捉えたうえで、「私は人生にまだなにを期待できるか」ではなく、「人生は私になにを期待しているか」を考え続けること、それが責任なんだと言っているのです。[*65] 人生がわたしに何を問いかけているか考えることに責任が宿ってくる。フランクルの言う責任は、必然的に自分の人生を振り返ることを要求します。

國分　とてもいい話ですね。では私も最後に一つだけ。

前にもハイデッガーを引用しながらお話ししましたが、僕は意志とセットにならない責任のあり方として、覚悟のことを考えています。覚悟と意志は似たような印象を受けるけれども、まったく異なるものです。覚悟というのは過去から今へと続く流れ、別の言い方をすると運命のようなものがあって、その運命を我がものとするということとです。こんなはずじゃなかったとか、これは自分の望んだことじゃないということではなくて、運命を我がものとして生きてゆく。ニーチェが言い、ドゥルーズも注目した「運命愛」という考え方もそういうものではないか。それは諦念とは違います。諦念とは、切断したいのに切断できないことへの絶望でしょう。切断できない流れを自分でどう引き受けて生きていくか。この運命愛の思想から責任を改めて考えていきたいと思っています。

ではみなさん、何かありましたら、ぜひ。

＊65　ヴィクトール・E・フランクル『それでも人生にイエスと言う』(山田邦男・松田美佳訳、春秋社、一九九三年、二七頁)

質疑応答

質問1
介助者とどのようにして親しくなるのか？

――とても興味深いお話をいろいろとありがとうございました。熊谷さんにぜひお聞きしておきたいことがあります。

いろいろな介助者の方とおつき合いされたというお話のなかで「厳密な介助者手足論＝徹底した指示待ち人間」の方がいらしたということでした。いっぽう、クレースタイ的に考えると、介助者を「使用する」というのは、介助者と親しくなるということとも取れます。熊谷さんはどういうふうに介助者と親しくなるのでしょう。また何かそのための方法があればぜひ教えてください。

熊谷　難しいですね。なかなか、これ！　というセオリーがあるわけではありません。先ほどの例について言えば、正直に言って、やはり私はどこかで介助者に手足になってほしいとは思っています。誤解がないようにつけ加えておくと、それは、介助者を支配したいということではなく、自由を感じたいからという意味で、です。

つまり、私が何かをしたいと思ったらそれがスムーズに実現されるということがあってほしいと思います。けれども、介助者が手足のようにスムーズに動いてくれるということは、介助者を支配することではない。介助者にいちいち指示を出して、それに従ってもらうことが手足になってもらうということではないのです。それが、先ほどお話しした介助者との出会いを通じた発見でした。

國分　使用は支配とは違うし、使用は支配と対立しているというのが大事ですよね。

熊谷　ええ、國分さんのおっしゃるとおりだと思います。そしてそれは、浪費と消費の関係、あるいはインプットとアウトプットに近いかもしれない。というのは、介助者との関係において、インプットを閉じないようにするのはもっとも重要なことだからです。アウトプット一〇〇パーセントになってしまうと支配が始まる。自分の今の身体のコンディションにも感覚を研ぎ澄ませ、介助者の身体から入ってくる情報にも感覚を研ぎ澄ませておく。

そして、私だけでなく介助者もまたインプットを研ぎ澄ませてくれたときに、相互に相手から情報が流れてきて、お互いの身体を浪費し合う関係になり、互いに味わい合う関係がはじめて生まれる。コミュニケーションというとベタな言葉になるかもしれませんが、簡単に言えば知り合うってことですね。浪費でなければコミュニケーションが成立しない。消費だと情報の流れが一方通行で、コミュニケーションがゼロになる感じがあります。

だから、親しくなるというか、相手と仲良くなるのはどういうことなのかといえば、浪費し合う関係が介助者との間に成立したときに、互いの身体の区別が薄くなって、そこではじめて支配ではない使用ができるのではないかな、と。なんとなくですが、そういうことかと思います。ただ、やはりどこかで相互の関係には非対称性があるという認識は重要なんですが。

難しいのですが……そうですね、完全な支配ではないけれども、対等ではないような、混ざったような感じというのでしょうか。オーケストラでいうなら、指揮者は自分だけれども、相手からも影響を受ける指揮者のように調律しているときはとてもうまくいくという気がします。

國分　だからどこかしら、少しエロティックな感じがあるんですよね。

熊谷　そうですね、どうしてもエロティックなところがあります。

國分　へんな意味ではなくてね。

熊谷　ええ。なぜならエロティックでなければ安全ではないですから。権力が支配するような、危険な介助になってしまうのです。

國分　これは余談ですけれど、アガンベンの『身体の使用』のなかに、サディズムとマゾヒズムの話も出てくるんですよ。「マゾヒストは自分が被るものを『みずから行わせる』のであり、受動性そのもののうちにあって能動的なのだ」「サドマゾヒズムは、主体も客体も知らず、動作主も動作の受け手も知らないという、使用の真理を提示してみせているのである」[*66]と書いてある。（笑）

熊谷　それは、恥ずかしい。（笑）

國分　きっと、アガンベンも、ノリにノって書いたのだと思います。でも、僕は少しわかる気もする。

熊谷　私はすごくわかります。『リハビリの夜』もマゾヒズムの本ですからね。

國分　おお、そういえばそうでしたね。熊谷さんが本で書かれた「敗北の官能」というのは、語の正しい意味でのマゾヒズムです。

質問2

ビジネスの世界の会話は能動態ばかりではないか？

——お話、ありがとうございました。

僕は今、ある会社で営業職をしています。「will」、つまり意志についての話をすごくたくさんする会社です。「これからお前はどうしたいのか」と上から周りからつねに問われ、「自分はこれからどうしたいのか」とつねに自問自答させられる企業風土、というかカルチャーのある会社です。ビジネスの世界の会話というのは、基本、このように能動態ばかりではないでしょうか。

國分　たしかにそうですね。ただ、おそらく組織作りについて真摯に考えている人たちは、能動態的ではダメだとわかっていると思う。しかし適切な言葉がまだなかったのではないか。僕は中動態は組織作りを考えるうえでも重要だと思っています。能動／受動図式で考えると、組織づくりはうまくいかないはずなんです。なぜなら、基本、誰かが誰かに命令するというかたちになってしまうから。

熊谷　私も組織論には非常に関心があります。そもそも古い体質の組織には、尋問の言語ですぐ個人に責任を押しつけるところがある。ところが、それとはまったく逆の「高信頼性組織研究」（High Reliability Organization）というのがあるのです。私はこれは自助グループにも応用できるのではないかと思っています。この「高信頼性組織」と

＊66　ジョルジョ・アガンベン、前掲書、六九頁。

は何か。例えば、救急医療の現場とか、航空機関連の会社とか、失敗が許されない組織のことです。彼らは本気で、組織としての失敗をゼロにするためにどうしたらいいかを探求している。その結果出てきたのが、「ジャスト・カルチャー」です。要するに、失敗を許容する、犯人探しをしない文化です。誰が悪かったのか、ということで、その人個人を罰しないという。

ただしその代わりに自分が経験したことはすべて包み隠さず話さなくてはなりません。そして、組織全体の問題として全員が受け止め、考え、応答する責任は課せられます。隠さず話すことは、失敗も含めて賞賛され、組織にとっての貴重な学習資源として受け止められる。罰すると、人は隠す。それでは、組織は失敗から学べない。だからひたすら、今日こんな失敗をしました、あんな失敗をしました、とネガティヴなことも話す、そうすると褒められる。それが「ジャスト・カルチャー」です。とても面白い逆説ですね。本気で失敗を減らしたければ、失敗を許さなければいけない。そのためには、毎日、過去の記憶の棚卸しをし、自分の経験をシェアし続ける。今日の話とどこか結びつく気がしませんか。責任を問うということを考えるとき、組織文化と絡めた視点で整理することは、大きなヒントになると思いますね。

――ありがとうございます。会社で話してみます。

國分　ぜひ。

質問3
認知行動療法的恋愛本は危険ではないのか？

――今回も興味深いお話をありがとうございました。

過去の切断というのは、「強い意志」とかなんだとか言っている人たちがだんだんネット右翼みたいになっていくのと、ある意味、同じなんじゃないかと思いました。國分さんがおっしゃったように、「責任」という言葉を捉え直さないといけない、そんなふうに思いながらお二人のお話をお聞きしていました。

あと頭に浮かんだのが、世の中には恋愛のことを若者に教える本がたくさん出ていますが、やはり書き方が精神分析的でなく、認知行動療法的なものが売れている気がします。僕はこれはわりと危険なことではないかなと思っているのですが、お二人はどうお考えでしょうか。

國分　精神分析は徹底して過去と関わっていくものです。そして、そのためにはかなりの時間が必要になります。例えばフロイトは週六日も分析をしていた。

――ひとりに対してですか？

國分　ええ、そうです。ほぼ毎日、話を聞くわけです。

熊谷　それはすごいですね。

――むしろ、気がおかしくなりそうですね。

國分　それくらいやらないと効果がない。週六日はやらないにせよ、週何日も分析を受けなければならない点は今も変わりません。そして、精神分析に成果が出ることは、追跡調査によってエビデンスをもって証明されているとのことです。ただ、とてもたいへんだし、時間もお金もかかる。ある意味、貴族主義的な療法と言えるかもしれない。

認知行動療法は思考の筋道の誤りを正すという考え方であり、工学的と言えるかもしれません。誤りを正すわけですから、能動／受動の対立のなかにある。その意味では古い医学モデルに則っているとも言えます。

ラカン派精神分析では、患者のことを患者と呼ばず、アナリザン、すなわち「分析する人」と呼び、精神分析家は分析を一緒にやるわけです。その意味でアナリザンはきわめて中動態的です。

この講義のなかで以前にもお話ししましたが、僕は当事者研究というのは、ある意味で民主化された精神分析みたいなところがあると思うんです。お金もかからないし、最初はみんなでわりと気軽にはじめられる。しかも話しているほうではなくて、聞いているほうに変化が訪れる。これは集団的という意味でも中動態的ではないか。

熊谷　付け加えると、当事者同士を強調するというところでしょうか。棚卸しの要素、近未来に向けた工夫の要素、実験検証型という要素、そして似た仲間の存在を強調する、その四つが当事者研究の特徴としてあると言えるかもしれません。

國分　あまり強調しませんでしたが、『中動態の世界』を書きながら考えていたことの一つが「仲間」についてでした。ハーマン・メルヴィルの小説『ビリー・バッド』を論じたこの本の最終章で少しだけ触れたのですが、ビリーを告発したクラッガートに話を聞いてくれる仲間がいたら、どうなったのだろうか、と。

熊谷　クラッガートがダルクに来てくれれば違ったかもしれない（笑）。

國分　そうですよ！（笑）ビリーの「吃り」にしても、当事者研究を通じて症状とのつき合い方を学べたかもしれない。少なくとも、いきなり、クラッガートを殴り殺さなくてもすんだのではないか。

熊谷　また國分さんは、『中動態の世界』のあとがきで、もしアレントに会えたら「ビリーもクラッガートもヴィアもわれわれそのものではないでしょうか？　アレント先生には彼らのようなところはありませんか？」と聞いてみたかったと書かれていましたが、ユーモアまじりではあるものの、高みから分類するアレントへの痛烈な皮肉だと読みました。

國分　アレントには仲間がいて、理解してくれる夫も友人もいたわけですからね。僕は「絆」という言葉はあまり好きではありません。仲間だって同じだという人もいるかもしれませんが、強固なイメージのある「絆」よりは、仲間とのゆるやかな「つながり」の方が大切ではないか。

熊谷　「つながり」という言葉のほうがしっくりきますね。

國分　そもそも哲学では、仲間というのはあまり論じられていない。哲学は極端な言葉ばかり使う（笑）。「愛」とか「敵」とか。仲間というのはある意味では半端なものでしょう。恋人とはずっと一緒にいたいかもしれないけれど、仲間とはずっと一緒にいたくない。でも別に嫌いなわけではない。たまに会って「おう」っていう感じ、僕と熊谷さんも仲間的ですよね。ずっと一緒にいるわけじゃないし、ずっと一緒にいたらこういうことをするのもいやになっちゃう。（笑）

熊谷　そうですね。（笑）

國分　だけど気心が知れていて、なにより自分のことを知る手助けをしてくれる。そういうのが仲間。僕は仲間という概念を哲学的に考えたいと思っていますよ。で、ある意味で仲間というのがなんであるのかを教えてくれるのが当事者研究でもあるわけですよね。

熊谷　ええ、そのとおりだと思います。

國分　少し話がずれてしまいましたが（笑）、大丈夫でしょうか。

――いえもう、十分なお話です。感激です。どうもありがとうございました。

孤独、思考、言葉

國分　仲間という存在についての話が出ましたので、最後にその話をして閉じたいと思います。当事者研究は複数でやるものですね。でも同時に、自分で調べる、ひとりで発表するという、ひとりになる局面があるということも大切だと思います。単数と複数、孤独と集団、私と公の往来をはっきりさせる。それは当事者研究の大切な側面ではないだろうか。

熊谷　たしかにそうですね。べてるの家の向谷地生良さんは、「自分の苦労は仲間に奪われてもいけないし、まして専門家に奪われてもいけない。自分の苦労は自分のものだということを大切にしている」とたびたび表現されています。

國分　僕は最近、ハンナ・アレントの「孤独」の定義についてよく考えるんです。彼女は「孤独solitude」と「寂しさloneliness」を区別しました。*67 孤独とは私が私自身と一緒にいることです。しかし、人は必ずしも自分自身と一緒にいられるわけではない。自分自身と一緒にいられないとき、人は誰か自分と一緒にいてくれる人を探し求める。そのときに人が感じているのが寂しさだ、と。

アレントによれば、孤独とは思考のための条件です。私と私自身との対話、それこそが思考である。だから孤独は人間にとってとても大切なことだと言えます。

熊谷　当事者研究に通じる素晴らしい定義ですね。

國分　現代はこの孤独が危機に瀕している。それがもたらしているのは思考の不存在だけではありません。孤独のなかでの思考が行われなくなると、それを埋めるための過剰なコミュニケーションが求められる。そこでもたらされるのは言葉の衰退です。思考の葛藤、その葛藤を言葉にするうえでの葛藤、そうしたものがなくなったとき、言葉はあらかじめ存在している情報を伝えるだけの単なる記号になる。

『中動態の世界』には、メタメッセージとでも呼ぶべきものが一つありました。われわれの思考を条件付けている能動と受動の対立を中動態によって対象化するというのがこの本のメッセージだとしたら、われわれは言葉に向き合う姿勢を失いつつあるのではないか、言語そのものについてもう一度考えてみようではないかというのがこの本のメタメッセージでした。僕はひとりの哲学研究者として、そのことを改めて強調したい。

熊谷　当事者研究は言葉なくしては進みません。そして「中動態」がいかに当事者研究を前進させてくれるのか、今回の國分さんとの連続講義で改めてよくわかりました。当事者研究の未来を明確に描くことはまだ誰にもできていません。しかしながら、『中動態の世界』と『暇と退屈の倫理学』、そして何年にもわたる國分さんとの議論のなかで國分さんが与えてくださったさまざまな知は、当事者研究が今後進むべき道を照らし出してくださっています。来たるべき当事者研究の相貌を、当事者研究の仲間たちと共に、そして國分さんと共に見つめていきたいと思っています。國分さん、みなさん、ほんとうにありがとうございました。

國分　これからもたくさんの言葉を交わしていきましょう。熊谷さん、そしてみなさん、ほんとうにありがとうございました。心から感謝いたします。

＊67　ハンナ・アーレント『全体主義の起原3――全体主義』（大久保和郎・大島かおり訳、みすず書房、一九七四年、エピローグ）

おわりに

國分さんが二〇一一年に出版した『暇と退屈の倫理学』を読んで以来、今に至るまで、私が考えてきたことや書いてきたことのあらゆる場所に、國分さんの哲学は深い影響を与え続けている。國分さんの言葉は、私のなかでいつも疼き、次の思考や実践を促し続けてきた。

はじめて『暇と退屈の倫理学』を読んだときに、私は、本書のなかでも紹介されている、ダルク女性ハウスの当事者研究を思い出していた。幼いころ、身近にいる重要な他者から傷つけられた人々にとって、暇な時間ほど怖いものはない。なぜなら、暇な時間が訪れるや否や、地獄のような退屈感が襲ってくるからだ――ダルク女性ハウスの当事者研究が教えてくれたことの一つは、そのような事実だった。國分さんが主題とした、「暇」という謎めいた現象の起源に、疼き続ける過去の傷つきの記憶があるのではないか。『暇と退屈の倫理学』に衝撃を受けた私は、國分さんと話したくなり、厚かましくもSNS越しに、國分さんに感想文を送った。それ以降、國分さんとの共同研究が続いている。

『暇と退屈の倫理学』は、私に一つの論考を書かせた。二〇一三年に発表した、「痛みからはじまる当事者研究」（『当事者研究の研究』所収）という文章がそれである。そのなかで私は、かつて刻まれた「傷の記憶」と、今まさに刻まれつつある「傷の知覚」を区別した。そのうえで、國分さんに応答しようとして、自分自身の慢性疼痛の経験と、痛み研究の知見を頼りに、「人は、傷の記憶の痛みを紛らわせるために、傷の知覚を求めることさえいとわない」という仮説を書いた。これは、「人は退屈しのぎをするためなら、興奮を、ときには死をもいとわないのはなぜか」という、『暇と退屈の倫理学』における問いに、私なりに傷という角度から答えようとしたものだった。

傷というテーマは、『中動態の世界』においても、副タイトルに含まれる「意志」という概念に引き継がれていると私は理解している。あらゆる行為は、それに先立つ過去の出来事に影響を受けている。しかし、行為の原因となっている過去の出来事を否認し、意志なるものが唯一の行為の原因であるかのようにみなす認識の枠組みが、能動態／受動態の世界観であり、それは端的に言って正確な認識の枠組みとは言いがたい――『中動態の世界』から私が受け取った大きなメッセージは、そのようなものだった。そして、過去に深い傷をもつ人は、相対的に過去の出来事を否認しがちになり、過剰なほど能動態／受動態の世界に巻き込まれていくだろう。

『中動態の世界』の副タイトルには、意志のほかにもう一つ、重要な概念があった。それは、「責任」である。そして、本書における最大の収穫の一つは、この「責任」の概念を、中動態的に捉えなおすことができた点にあると思う。正確な認識とは言いがたい能動態／受動態の世界観が、なぜこれほどまでに根強いかというと、ある行為の結果、例えば誰かを傷つけてしまったときに、その行為の原因を誰かの意志に帰属させ、その人に責任を取らせるという司法的な仕組みがそれを要求するからだと言える。それゆえに、中動態的な行為論や、そこと共鳴する当事者研究の実践は、誰かを傷つけた加害者の行為を、過度に免責してしまうのではないか、という批判にさらされる場面もある。

しかし、本書で展開したのは、現在の司法システムにおいて支配的な、こういった能動態／受動態的な責任の捉え方では、本当の意味で責任を取ることには繋がらないのではないか、という問題提起だった。そもそも、相手を傷つけてしまった自分の行為に関し、「それは自分の意志でやったことだ」という解釈で思考停止し、生い立ちなどを含め、行為に先立って存在していたさまざまな原因群に思いを馳せることさえもしない加害者のことを、周囲の人は、責任を果たしているなどと感じられるだろうか。二〇一六年に起きた相模原殺傷事件の犯人の裁判所での言動が、少なくとも私にとって許しがたかった理由の一つは、彼が自分の行為について、自分の意志で行ったということを認めなかったからではない。いや、むしろ彼が過度に、自分の意志にのみ帰属させたことが、許しがたかったのだ。

本書のなかでは、能動態／受動態的な、自分の意志に過度な依存をした生き方の一つとして、依存症を取り上げた。そして、アルコホーリクス・アノニマスから始まる、一二段階の回復プログラム（AA12のステップ）に沿って依存症からの回復を目指す自助グループの方法のなかに、能動態／受動態的な生き方から、中動態的な生き方へとみずからを変容させる仕掛けが組み込まれているということにも触れた。

12のステップでは、4番目のステップで、恐れずに、徹底して、否認してきた過去の出来事を振り返る（棚卸し）。興味深いのは、その後、ステップ8と9に至ってはじめて、傷つけたすべての人の表を作り、その人たちやほかの人を傷つけない限り、その人たちに直接埋め合わせをすることのできる人になれるという点である。罪を償うということは、自分の過去と丁寧に向き合うということなしには成立し得ない。したがって、過去を否認し、行為の原因をすべて自分の意志に帰属させる、能動態／受動態的な責任論は、むしろ無責任だというのが、本書で展開した國分さんと私の主張である。

最近になって、ようやく日本でも、性犯罪をめぐる法制度改正が進んでいる。しかし、被害者支援の専門家や実践家のなかには、現在のシステムにおいて主流となっている応報的司法における問題点だけではなく、中動態的と言ってもよい、正直な棚卸しと対話を通じた修復的司法の重要性を指摘している人々が少なくない。応報的司法のみでは、加害と被害の入り組んだ関係を取り扱えなかったり、当事者の納得が得られにくい、また、加害者が刑期を終えた後の被害者の安心に繋がらない、といった指摘はよく聞かれるものだ。現実の世界で起きているこうした出来事とも、本書の内容は深く関連していると言える。

また、詳細は述べられないが、当事者研究の実践がさまざまな領域で広がるにつれて、「私は、ほかならぬ当事者研究という実践のなかで傷つけられた」という声が寄せられはじめている。こうした声は、私自身を含めた当事者研究の実践家に、応答の責任を課すものだ。それぞれの現場で、どのような相互行為が生じていたのか、そして、その背後には、どのような過去の来歴があったのか。当事者研究という実践のなかで応答責任を果たすということは、そうした、時間のかかる作業にほかならない。当事者研究が次の大きな課題に直面している今、この本を世に出せたことは、私にとって特別な意味を持っている。

國分さんとの研究は、これからも当分、続くものと思われる。

二〇二〇年一〇月　熊谷晋一郎

國分功一郎（こくぶん・こういちろう）

一九七四年千葉県生まれ。東京大学大学院総合文化研究科准教授。東京大学大学院総合文化研究科博士課程修了。博士（学術）。主な著書に、『スピノザの方法』（みすず書房、二〇一一）『暇と退屈の倫理学　増補新版』（太田出版、二〇一五）『ドゥルーズの哲学原理』（岩波書店、二〇一三）『来たるべき民主主義――小平市都道328号線と近代政治哲学の諸問題』（幻冬舎新書、二〇一三）『近代政治哲学――自然・主権・行政』（ちくま新書、二〇一五）『民主主義を直観するために』『原子力時代における哲学』（ともに晶文社、二〇一六、二〇一九）。『中動態の世界――意志と責任の考古学』（医学書院、二〇一七）。共著に、『哲学の自然』『統治新論――民主主義のマネジメント』『保育園を呼ぶ声が聞こえる』（いずれも太田出版、二〇一三、二〇一五、二〇一七）、『僕らの社会主義』（ちくま新書、二〇一七）『いつもそばには本があった。』（講談社、二〇一九）『コロナ時代の哲学――ポストコロナのディストピアを生き抜く』（左右社、二〇二〇）など。

熊谷晋一郎（くまがや・しんいちろう）

一九七七年山口県生まれ。東京大学先端科学技術研究センター准教授、小児科医。新生児仮死の後遺症で脳性麻痺に。以後車いす生活となる。東京大学医学部医学科卒業後、千葉西病院小児科、埼玉医科大学小児心臓科での勤務、東京大学大学院医学系研究科博士課程での研究生活を経て、現職。専門は小児科学、当事者研究。主な著書に、『リハビリの夜』（医学書院、二〇〇九）『当事者研究――等身大の〈わたし〉の発見と回復』（岩波書店、二〇二〇）。共著に、『発達障害当事者研究――ゆっくりていねいにつながりたい』（医学書院、二〇〇八）『つながりの作法――同じでもなく　違うでもなく』（ＮＨＫ出版、二〇一〇）『ひとりで苦しまないための「痛みの哲学」』（青土社、二〇一三）、編著に、『みんなの当事者研究』『当事者研究と専門知』『当事者研究をはじめよう』（いずれも金剛出版、二〇一七、二〇一八、二〇一九）など。

●協力＝河村信・淵上周平・山内明美
●写真（帯および八六～八七頁）＝WIRED JAPAN©All Rights Reserved, Condé Nast Japan 2020.
●本書は、二〇一七年七月から二〇一八年四月まで四回にわたり、「中動態の世界をめぐって」および「中動態の世界から考える」と題して行われた対談（於・朝日カルチャーセンター新宿）と、二〇一八年十一月に行われた講義（於・東京工業大学、本書序章）をもとに大幅に加筆修正を施し、再構成したものです。

〈責任〉の生成
――中動態と当事者研究

二〇二〇年一二月一日　初版第一刷発行
二〇二三年一二月一〇日　初版第一〇刷発行

著　者　國分功一郎
　　　　熊谷晋一郎

発行者　塩浦暲
発行所　新曜社
東京都千代田区神田神保町三―九
TEL　〇三―三二六四―四九七三
FAX　〇三―三二三九―二九五八
URL　https://www.shin-yo-sha.co.jp/
e-mail　info@shin-yo-sha.co.jp

ブックデザイン　祖父江慎＋脇田あすか（cozfish）
印刷・製本　中央精版印刷株式会社

Printed in Japan ISBN 978-4-7885-1690-8 C0010